池上 彰＋増田ユリヤ
Akira Ikegami & Julia Masuda

メディアをつくる!

YouTubeやって考えた
炎上騒動とネット時代の伝え方

ポプラ新書
211

YouTube学園の1年間

2020
6月16日
「池上彰と増田ユリヤのYouTube学園」開設

記念すべき1本目は
「感染者がまた増えたらどうなるの⁉」

6月20日
「河井夫妻逮捕の裏には
安倍政権と検察の
知られざる戦い⁉」

1本目のZoomホームルーム、
ほぼ毎日投稿

8月18日
「池上彰が餃子作りに挑戦！
包めば分かる⁉ 知られざる餃子の歴史」

食べ物を通して歴史を知るシリーズの1作目

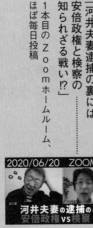

9月20日

「【パレスチナ問題前編】
相次ぐイスラエル・アラブ諸国の国交正常化
中東で今何が起きている？」

「【パレスチナ問題後編】
イスラエル・パレスチナって
どんな所？　取材写真をもとに解説！」

増田さんの取材写真から解説

10月16日

「【コーヒーの歴史】
世界史でたどるコーヒーの物語」

池上さんバリスタファッションを披露

11月14日

「意外!?　スナイパーが現れたら…
シークレットサービスの知られざる世界を
オタク池上彰が解説！」

池上彰のオタクシリーズ第3弾

2021

12月5日

「「総政治局長はどれほど偉い？」

「729ナンバーは実在する？」

韓国ドラマ『愛の不時着』から見る北朝鮮を解説！」

女性視聴者に訴えた流行りのドラマの解説
現在24万回再生

2月7日

「【説明とお願い】批判は自由です。
でもこれだけはお話させてください。」
YouTubeで
伝えることの覚悟を表明

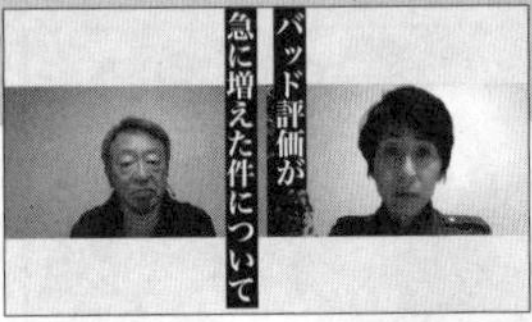

4月17日

「ついに実現！世界が注目する
mRNAの研究者、
カタリン・カリコ氏にインタビュー
“コロナワクチンの安全性”や
“研究での苦労”などについて聞きました。」
コロナ禍ならでは！ Zoomでの海外インタビュー

はじめに

　このところ地上波テレビの視聴率が低下しています。とりわけゴールデンアワーの世帯視聴率は、10％を超えるのが難しくなっています。私が２００５年に民放テレビに出始めた頃は、視聴率が15％を超えると、「高視聴率おめでとう」と言われたものですが、いまや10％を超えただけで、「高い数字だったね」と言われる始末です。

　とりわけ「若者のテレビ離れ」が顕著です。では、若者たちは、どこにいるのか。テレビの前ではなく、それぞれの個室でネットを見ているのです。とりわけ YouTube は、いまや完全にテレビのライバルに成長しました。

　YouTube の事業を展開している Google を傘下に持つアメリカの企業 Alphabet が２０２１年４月に発表した第１四半期（１～３月）の決算によると、YouTube 広告は前年比49％も増加して60億５００万ドルに達したそうです。

これは日本での事業も含めた数字。テレビ広告が減少する中で、YouTube には広告料が流れ込んでいるのです。

若者たちは、テレビから YouTube へ。そんな動きを他人事と見ていたのですが、2020年の緊急事態宣言をきっかけに、私たちも YouTube の世界に足を踏み入れました。そのいきさつは本文を読んでいただければと思いますが、気軽に足を踏み入れた YouTube の森は、なんとジャングルでした。

一時は遭難しかかるような難局にも直面しましたが、一緒に歩くことを決断してくれた増田ユリヤさんやポプラ社の皆さん、ハイブリッドファクトリーの皆さんたちと歩みを刻んできました。そこで体験し、考えたこと。そんな体験談をまとめてみました。ディープなテーマを選んだ裏情報など楽しんでいただける話も満載です。ネット社会で情報を発信することを考えるきっかけにしていただければ幸いです。

池上　彰

2021年5月

メディアをつくる！／目次

第4章 テレビでは見せない? 素顔の数々

第1章

炎上、ネトウヨ、フェイクニュース……YouTubeの洗礼を受けて

池上彰「炎上」騒動を振り返る

突然の嵐に見舞われた

２０２１年の２月、私たちの「YouTube学園」は、思わぬ嵐に見舞われました。多数のトランプ支持者が押し寄せ、動画の「バッド」を押したのです。その多くは、いわゆるネトウヨと言われる人たちで、ＳＮＳで「バッドを押そう」という呼びかけに応じた結果でした。

また、この動きについて、動画で私たちの立場を明らかにしたところ、一段と攻撃が激しくなり、バッドの数が増えました。

ところが皮肉なことに、この動きをネットニュースが報じたことをきっかけに私たちの動画の存在が知られるようになり、登録者数が激増しました。ネトウヨ以外の人が、じっくり見てくださるようになったのです。

これは、結果として、いわゆる「炎上商法」のようなものになってしまいました。私たちは意図していなかったのですが、わざと一部の人を怒らせることで大勢の視聴者を集めて登録者数や視聴者数を増やす手法のことを炎上商法といいます。この手法で利益を得ている人たちがいるのだなと再確認したのです。

また、これまで私たちの動画を楽しんでくださっていた人たちが、バッドを押すためだけに来襲した人たちがいることに反発。私たちを励ます書き込みをしてくださり、ファンたちとの紐帯《ちゅうたい》が一段と強まった気がしています。

まさに「雨降って地固まる」ですが、この一連の〝騒動〟で学んだこと、考えたことを振り返ってみましょう。YouTubeのようなネット空間について考えるいいきっかけになったからです。

ポイントは3つです。

日本にも熱烈なトランプ支持者がいることを確認したこと。

芸能人のつぶやきを、裏も取らずにニュースにしてしまう無責任なネットメディアがあること。

YouTubeは自由な空間であるだけに〝無法地帯〟にもなりうるのだということ。

日本でもトランプ支持者が増えていた

今回の〝騒動〟のきっかけは、2021年1月30日にテレビ朝日系列で放送された「池上彰のニュースそうだったのか!!」での私の発言でした。この番組では、アメリカの大統領がドナルド・トランプ氏からジョー・バイデン氏に代わったことで、米中関係はどうなるかを一つのテーマとして取り上げました。

この中で私は、トランプ前大統領は新疆《しんきょう》ウイグル自治区や香港の人権問題について無関心だったが、バイデン大統領や民主党は人権問題を重視するので、米中関係は緊張するのではないか、という趣旨の説明をしました。

この発言は、これまで4年間のトランプ政権の実態を観察・注視してきたことの積み重ねの上に発せられたものですし、テレビ朝日も、この番組の収録後、私の発言について中国とアメリカのそれぞれの専門家のチェックを受けて問題ないと判断し、編集・放送しています。

つまり、アメリカのトランプ政権のことをよく知っている専門家にしてみれば、私の発言は常識になっていることを述べたに過ぎなかったのですが、熱烈なトランプ支持者は、これに怒ったようです。「トランプ氏こそ人権問題を重視し、中国を批判してきた」というのです。放送後、テレビ朝日に抗議電話が何本もかかってきました。

放送に文句がある人がテレビ局に抗議の電話をかける。それ自体はよくあることですし、何の問題もありません。ところが、トランプ支持者の対応は、それにとどまらなかったのです。

トランプは人権問題に敏感だった?

日本のトランプ支持者の行動については、この後詳述するにして、そもそもトランプ前大統領は人権問題を重視してきたのでしょうか。

番組を批判した人たちの主張は、トランプ前大統領が「香港人権・民主主義法案」や「ウイグル人権法案」に署名したことなどを根拠にしています。香港やウイグル人の人権問題を重視しているというわけです。

この人たちは、そもそもアメリカの法案の成立の仕組みを知っているのだろうか、と疑問に思います。法案を作ったのはトランプ前大統領ではないからです。

日本は、内閣が法案を作成して国会に送り、衆議院と参議院で可決されれば法律として成立します。議員が独自に法案を作成して提案することも可能ですが、少数にとどまります。

一方、アメリカでは大統領が法案を提案することは制度上できません。法案を提案して可決するのは、議会の権限です。議会が法案を可決すると、大統領のもとに送られ、大統領が署名して初めて法律になります。香港やウイグル人の人権に関する法案も、議会主導で成立しました。アメリカ議会の中には、中国の方針に反対している人や人権問題に敏感な議員が大勢いるからです。この点に関しては共和党・民主党に差はありません。どちらにも存在しています。

大統領のところに回ってきた法案に、もし大統領が署名しないと、法案は成立しません。これは「大統領が拒否権を発動した」と表現されます。もし香港やウイグルの人権問題に関する法案にトランプ大統領（当時）が署名しなければ、トランプ大統領は議会から大変な批判を受けます。アメリカ国民の多くも反発し、自身の再選に悪影響を及ぼすでしょう。だからトランプ氏は署名したのであり、自分で主導権を発揮したわけではありません。「トランプ大統領は人権を重視している」と主張する人たちは、この仕組みを理解していないのではないでしょうか。

「私はかかわり合いになりたくない」

トランプ前大統領が香港やウイグル人の問題について、どういう意識だったかは、トランプ政権で国家安全保障担当補佐官だったジョン・ボルトン氏の回顧録に詳しく描かれています。これを理解するには、当時の時代背景を知っておくことが必要です。以下のような状態のときのことです。

1997年に香港がイギリスから中国に引き渡された際、「一国二制度」のもと、香港では自由と民主主義の制度が50年間保障されていましたが、それが次第に蝕《むしば》まれつつありました。2019年には、「逃亡犯条例改正案」が香港の議会に提出されました。この条例が成立すると、もし中国共産党を批判すると、中国が「犯罪者だ、引き渡せ」と言ってくる可能性が出ます。そうなれば香港での言論の自由が萎縮してしまう可能性が出てきます。これを恐れた香港の人たちが反対運動をしていたときのことです。

ボルトン氏はトランプ大統領（当時）に請われて補佐官に就任しますが、意見が対立して辞任します。在任中は克明な記録を取っていて、それにもとづいて回顧録を書いています。

〈香港政府が提出した逃亡犯条例改正案（犯罪容疑者の中国本土引き渡しを可能にする法案）を引き金に、2019年6月初旬までには大規模な抗議デモが多発するようになっていた。私が初めてトランプの反応を耳にしたのは、６月9日日曜のデモへの参加者数が約１５０万人に達したことをトランプが知った12日だった。トランプは「それはすごいな」と言い、しかしすぐに「私はかかわり合いたくない」「米国も人権問題を抱えてるからな」と言い添えた。（中略）私は「Twitterで、中国がいかに国際的な合意をないがしろにしてきたかを訴えるとともに、中国に英国との合意を尊重するように呼びかけていた。だが、そんな努力もこのトランプの一言で水の泡になった〉（ジョン・ボルトン／梅原季哉監、関根光宏、三宅康雄他訳『ジョン・ボルトン回顧録』朝日新聞出版）

これだけではなかったのです。６月18日、トランプ大統領は中国の習近平国家主席と電話会談した際、こう言ったというのです。

〈香港で起きていることを見たと伝えた。そして、あれは中国の国内問題であり、ホワイトハウスの高官にはどんな形であれ、公の場で香港の問題を口にしないようにと命じている、と言った〉（同書）

このトランプ発言に、習近平主席は感謝したそうです。

トランプ前大統領が香港の人権問題を重視していると主張しているトランプ氏のファンは、この指摘をどう受け止めるのでしょうか。

続いて、ウイグル人の人権問題に関しても、トランプ前大統領の言動には驚くべきものがあります。２０１９年6月に大阪で開かれたG20でのことです。

〈大阪G20サミットでは、通訳しか同席しないオープニングディナーの席で、習近平は自治区に強制収容所を建設するそもそもの理由をトランプに説明した。米国側の通訳によれば、トランプは、遠慮なく収容所を建設すべきだ、中国がそうするのは当然だと思う、と答えたという。トランプは２０１７年の中国訪問の際にもそれとよく似たことを言ったと、NSCアジア上級部長のマット・ポッティンジャーは言っていた〉（同書）

このボルトン氏のトランプ大統領（当時）に対する評価は、２０２０年10月、アメリカにいたボルトン氏に私がテレビ東京の企画でリモート取材し、確認しています。

ボルトン氏は、トランプ大統領が表向きは反中国のような発言をしているが、実際には貿易交渉を優位に進めたいという意図によるもので、「再選を果たしたら、手のひらを返すように習近平国家主席と仲よくするだろう」と指摘していました。

思い込みで他人を攻撃する人たち

YouTubeの話から逸れてしまいましたが、トランプ氏のファンは、トランプ氏が批判されることに我慢ならなかったのでしょう。

トランプ氏が香港やウイグル人の人権を重視する法案に署名したというだけで、トランプ氏を人権重視の大統領だと思い込み、批判を受け付けない。自分の思い込みに頼り、自分が崇《あが》める人への批判を受け入れようとしない人たちが大勢いたのです。

今回の騒動をきっかけにYouTubeのさまざまな動画を見たところ、熱烈なトランプファンのサイトが数多く存在していることに気づきました。トランプ氏を賛美し、トランプ氏を批判する人を罵倒《ばとう》する。こういう方針で動画をアップさせていれば、トランプ支持者たちが見てくれます。結果、登録者数も視聴者数も増えて利益が上がるという仕組みになっているのです。

「コタツ記事」が蔓延

テレビ朝日の番組に関しては、トランプファンの芸能人が私の発言をSNSで批判しました。これも別に問題はないのですが、それをそのまま「ニュース」として取り上げたネットニュースがあったのには驚きました。

誰かが誰かを批判している。それをニュースとして取り上げるなら、批判された人物に取材し、言い分を聞く。その上で、批判が妥当なものか、専門家に判断してもらう。その結果、批判が妥当なものだと判断したら、ニュースとして取り上げる。そもそも取材とはそういうものだと叩き込まれてきた私にしてみれば、驚くべき無責任ぶりでした。

これを機会に、ネットニュースをチェックすると、「これがニュースか」というものが大量に上がっていることに気づきました。

たとえば「テレビのワイドショーで○○さんがこう言った」という類の「ニュース」が出てくる、出てくる。これがニュースでしょうか。とりわけスポーツ紙がネットに上げたものが目につきます。

２０２０年からのコロナ禍でスポーツのイベントが減ったり、選手への直接取材ができなくなったりして、スポーツ紙が「ニュース」集めに苦労していることは同情します。しかし、「テレビでこう言った」という「ニュース」は、業界では「コタツ記事」と呼ばれているそうです。

記者本人は取材せず、自宅でコタツにあたりながらテレビを見て記事を書く、ということのようです。今どきコタツにあたってテレビを見ている人がどれだけいるかは疑問ですが、こういう類の記事が増殖していることに業界内部で問題視している人たちがいることがわかります。

私が若い頃は、「他人のふんどしで相撲を取る」という言い方がありました。自分で取材せず、他社の記者が取材してきたことを、さも自分が取材してきたかのように書くことです。記者として恥ずかしいことだったのです。それが、今やテレビを見て原稿を書くのが恥ずかしいことだと思わず、原稿をチェックするデスクと呼ばれる管理職も問題にしていない。これではスポーツ紙全体のレベル低下につながっていきます。

スポンサーを攻撃する卑劣さ

今回のテレビ番組をめぐる騒動で驚いたのは、番組のスポンサーに対する嫌がらせまであったことです。スポンサーに電話をかけ、「あんな番組のスポンサーをしていると不買運動を始めるぞ」という類の脅しをかけるのです。これをネット界隈では「電凸《でんとつ》」といいます。「電話で突撃する」という意味です。

これで思い出したのは2015年6月に開かれた自民党議員たちによる「文化芸術懇話会」での発言です。作家の百田尚樹氏を招いて勉強会を開いた際、百田氏は、「反日とか売国とか日本を貶《おとし》める目的で書いている記事が多い」とマスコミを批判しました。問題は、この後です。出席した議員たちから「マスコミを懲《こ》らしめるには広告収入がなくなることが一番だ」「スポンサーになららないこと。これが一番こたえるだろう」などという発言が相次いだのです。

これが報道され、批判が相次ぐと、自民党は発言した3人の議員を厳重注意とし、勉強会を主宰した自民党青年局長を更迭し、1年間の役職停止処分にしました。

自民党も、これは問題発言だと判断したのです。

この発言について、当時の民間放送連盟（民放連）の井上弘会長は、次のような談話を発表しています。

「民間放送や新聞事業の広告主に圧力をかけることにより、報道機関の取材・報道の自由を威圧しようとする言動は、言論・表現の自由を基盤とする民主主義社会を否定するものであって容認しがたい」

自民党議員たちの発言は、まさに民主主義の根幹を揺るがす発言でした。事もあろうに国会議員が発言したのですから。

このときは自民党が問題であると判断したのですが、その後も、いわゆるネトウヨは、「電凸」の手法を頻繁に使い続けています。自分たちにとって気に食わない報道があると、SNSで呼びかけて、番組のスポンサー各社に一斉に抗議電話をかけるのです。

この手法は、当初はスポンサー各社を驚かせたようですが、しばしば繰り返される結果、各社とも免疫がついたようです。「消費者」と名乗って抗議をしてきても、真面目に相手にする人たちではないと気づき、電話でのやりとりを録音して対応しています。

結果、今回の騒動でもスポンサーを降りる社はありませんでした。冷静な対応には感謝しかありません。

動画でどう対応するか

今回の騒動は、私の番組での発言がYouTubeに飛び火し、スタッフに心労をかけてしまうことになりました。バッドを押した数が急激に上昇し、批判の書き込みが殺到したからです。

これには申し訳ない気持ちになる一方、なぜYouTubeの動画にまでやってくるのだという怒りに燃えました。

気に食わない発言については、あらゆる場面で攻撃してくる人たちがいる。日本社会でも分断が進んでいることを痛感しました。

このとき私たちはＺｏｏｍを使って会議を開きました。押しかけてくるトランプ支持者にどう対応すべきか、ということです。その際には二つの対応策が考えられました。一つは徹底的に無視することです。嫌がらせに来る人たちを無視すれば、いずれ彼らは飽きて、別のターゲットを探しに行くだろうという判断です。

こうした攻撃に真面目に対応すると、いわゆる「燃料投下」になってしまうという懸念もありました。

「燃料投下」というのは、ネット用語です。「炎上」しているときに、そこにコメントすると、かえって炎上が激しくなってしまうことが多く、いわば炎上の燃料を提供しているようなものだ、というわけです。

正直な話、私も徹底無視でいこうかと考えていました。彼らとは、とてもまともな対話が望めないからです。

スタッフの中でも真正面から向き合うべきだという意見と、無視すればいいという意見がありました。

増田の正義感がスタッフを動かした

しかし、ここで私を含めスタッフの心を動かしたのが、増田さんの発言でした。私が記憶する限り、次のような発言だったのですが、これで正しかったかどうかは増田さんの原稿に譲ります。

〈YouTubeの動画に関する「いいね（グッド）」「バッド」は、その動画に関する判断のはずだ。動画の内容がお粗末だったら、バッドが多くなっても仕方ないし、私たちの反省材料になる。しかし、こいつが気に食わないから、という理由でバッドを押すのは、理不尽ではないか。実に卑怯なことだと思う。徹底的に戦いたい〉

増田さんの発言を受け、二人でZoomを使って対談をやってみよう、その出来次第で公開するかどうかを決めようということになりました。

そこでの増田さんの正義感あふれる発言に、私もスタッフも感激したのです。私は事なかれ主義に陥《おちい》ろうとしていることに気づき、反省しました。おかしいことはおかしいとはっきり言うことが大事なのです。そこで、対談の様子をそのままアップしようと提案しました。その結果、二人の対談はYouTubeに、そのまま掲載されました。どんなものだったのかは、過去の動画を見ていただければわかります。

このやりとりが、YouTubeとは、どんなものなのか、その本質について考えるきっかけになりました。

そもそも私がYouTubeをやろうと言い出したのは、2020年のコロナ禍で緊急事態宣言が出され、多くの書店が閉店し、リアル書店で書籍の販売ができなくなったことがきっかけです。だったら、YouTubeで発信していこうではないか、という単純な発想でした。

YouTubeをやってみての感想は、この後の章で触れているように、楽しく充実したものでした。しかし、YouTubeもネットです。ネットの世界は、ある種の無法地帯のようなところがあります。炎上させてやろうと獲物を探している人たちがいるのです。この人たちが、私たちのＺｏｏｍ対談に気づき、攻撃してきたというわけです。

もちろん私たちの主張に賛同してくださる方々も大勢いて、激励の書き込みとともに「いいね」を押してくれたのですが、それを上回る勢いでバッドが増えました。

これにはさすがに辟易《へきえき》し、気勢を削がれました。私たちを応援してくださる書き込みの中に、「いいね」や「バッド」の数の表記をやめたらどうですか、という提案をしてくださる方もいました。そこで私たちは、このアドバイスに従いました。

それにより得られたのは心の平安でした。悪意を持ってバッドを押しに来ている人がどれだけいるかわからなくなったからです。

バッドを押しに来る人も、その数が表示されなければ、やってきた甲斐がないでしょう。悪意の攻撃に対しては、この手があるのです。

心の平安が得られてまもなく、今度は闘争心が湧いてきました。いささかおこがましいかもしれませんが、「これがYouTubeのあるべき姿だ」というものを構築してみせようではないか、と決意したのです。

このときも増田さんの決然とした対応に救われました。スタッフみんなで、「これが良心的なYouTubeだ」というものを築いていこうということになったのです。

このあたりのやりとりを、増田さんはどのように考えていたのでしょうか。

「陰謀論」で稼ぐ人たち

トランプ前大統領は、2020年11月の大統領選挙で敗北した後も、「大統領選挙で勝利したのは自分だ」「選挙が盗まれた」と、根拠のない主張を繰り返していました。しかし、ウソもつき続ければ信じる人が出てくるものです。

しかも発信源は大統領本人です。日本国内でも「本当はトランプ氏が勝っていた」と言い出す人たちが出てきました。テレビ朝日の番組「池上彰のニュースそうだったのか!!」にも、「本当はトランプ氏が当選していたことを詳しく解説してください」というメールが来たほどです。

どうして、こんな人が増えているのだろうと思っていたら、YouTube でデマを拡散して資金を稼ごうとする人間がいることを暴露する記事を見つけました。2021年2月26日のバズフィード（BuzzFeed News）の記事（一部、筆者が補記）です。

〈「陰謀論」を発信、YouTuber は東北大助教　大学側は「対応を検討」

アメリカ大統領選をめぐって、日本でも大量に拡散された陰謀論。発信者(の)ひとりが、東北大の大学院情報科学研究科に所属している男性助教であることがわかった。(中略)

同大の広報担当者は BuzzFeed News の取材にこの人物が YouTube で陰謀論を配信していた事実を認めた。(中略)

2月26日現在のチャンネル登録者数は23万人以上。動画の再生回数は累計1800万回以上。1本あたり、50万回以上のもある。（中略）直近の動画のほとんどはトランプ氏に関するもの。大統領選に関する様々な情報や「裏話」を披露しているが、多くはソースが不明か、海外サイトやトランプ氏支持者の発信などで、一次ソースではない。（中略）

助教のチャンネルは昨年9月の発足当初、中国共産党批判や日本国内政治に関する動画を多く発信していたが、再生数は数千〜数万回程度で推移していた。しかし、10月ごろからはアメリカ大統領選に関する発信にシフトし、それに応じて再生回数やチャンネル登録者数も増加。10万回再生以上の動画も現れ、さらに陰謀論が多く発信された1月には、チャンネル登録者が一気に10万人以上増えていることがわかる。

分析計測ツール「NoxInfluencer」で調べたところ、このチャンネルの収益は月あたり55万〜170万円程度と推計された。〉

「エコーチェンバー」現象

資金稼ぎのために「陰謀論」を広める人がいて、それを信じてしまう人がいる。今のネット社会では、これが横行しているのです。これを専門家は「エコーチェンバー」と呼んでいます。

〈閉ざされた環境の中で、価値観の似た者どうしがフィードバックし合うことで、信念や態度や意見が強化される現象を、「エコーチェンバー（反響室）現象」と呼ぶ〉（デイヴィッド・J・ハンド／黒輪篤嗣訳『ダークデータ 隠れたデータこそが最強の武器になる』河出書房新社）

「エコーチェンバー」とは、本来は音楽の録音をするための特別な部屋のことで、エコールームともいいます。音楽のエコーが長時間残るように設計されています。いったん音が発せられると、いつまでもエコーが続き、最初に発せられた音が長時間残ります。これと同様ネットの中で発せられた極端な意見がいつまでも残り、強化される様子を、こう表現したのです。

〈ソーシャルネットワークでは、このフィードバックによって傍流の考えが強められ、二極化や過激化がもたらされる。原理は単純だ。誰かがある意見を述べると、その意見がほかの人たちによって取り上げられ、繰り返されるうち、やがて最初に意見を述べた人の耳に届く。その人は、自分が言ったことが回り回って戻ってきたことに気づかず、次のように思う。「やっぱりな！　みんなも、おれと同じように考えていたんだ！」〉（同書）

何をなすべきか

ところで、いわゆる「炎上」に参加する人は、どれくらいいるのでしょうか。これに関しては、田中辰雄氏と山口真一氏による先駆的な研究『ネット炎上の研究　誰があおり、どう対処するのか』（勁草書房）があります。これは、インターネットのモニター約２万人を対象にして、炎上に参加している人の属性を調べたものです。２０１６年に出版されたものですが、当時ネット上での「炎上」は年間約４００件（１日に１回以上のペース）で発生していたということです。ちなみに、現在は遥《はる》かに多くなっているようですが。

この研究によると、次のようなことが判明しました。

〈炎上を知っている人はインターネットユーザの90％以上いるものの、炎上参加者はわずか約1・1％しかいない。また、炎上に1度書き込んだことのある人は、2度以上書き込んだ人の半分以下となっており、ごく少数の人が、複数回にわたり炎上に参加している。（中略）これらの結果から、炎上に対する捉え方と予防方法が、いくつか見えてくる。まず、捉え方としては、「炎上はごく一部の人が書き込んでいるに過ぎない」ということを認識すべきといえる。ひとたび炎上が起こると、まるでそれがネット世論のように捉えられまとめサイトに掲載されたり、場合によっては大手メディアでさえそのような論調になったりすることがある。しかしながら、その炎上に書き込んでいる人は、インターネットユーザ全体の1・1％以下なのである。また、その人たちはインターネット上で非難しあって良いと考えている等、少々特殊なインターネットユーザとも言える。それを考えると、炎上して多くの罵倒を浴びせられたとしても、別段気に病む必要はないように思われる。また、炎上を過剰に気にしてインターネット上の情報発信を控える必要もないのではないだろうか〉

YouTubeは自由な空間です。ネット時代を象徴する存在です。誰もが勝手に発信している結果、事実と異なる情報や、故意に作られた陰謀論も渦巻いています。

しかし、それを止めることはできません。であるならば、せめて事実にもとづいた、きちんとした内容の動画を作成していくしかないのではないか。

それでどれだけのことが可能かわかりませんが、一歩一歩進んでいくしかないと思っています。それが、今回の騒動で得た決意です。

増田ユリヤ　「YouTube学園」の校則を作る

テレビでのトランプについてのコメントが、炎上騒ぎに発展

YouTube学園に降りかかった「炎上騒ぎ」。事の顚末《てんまつ》は、池上さんが書いてくれた通りだが、実はこの騒ぎより1か月ほど前に、「プチ炎上騒ぎ」が起きていた。こちらの原因を作ったのは、増田だ。

テレビ朝日系列「大下容子 ワイド！スクランブル」に出演したときのことである。この番組で月に一度、池上さんとニュースの解説コーナーを担当している。出演を始めてからもう7年近くになるが、炎上騒ぎに巻き込まれるなんて思ってもみなかった。原因はやはり「トランプ大統領」である。

２０２０年12月のこのコーナーで、世界のリーダーたちのコロナ対策について扱ったときのことだ。トランプ大統領（当時）といえば、大統領選挙の演説でも「ノーマスク」を貫いた。マスク着用の重要性を訴えたバイデン氏とは対照的で、大統領選挙直前の10月2日には、トランプ大統領自身がまさかの「陽性」。新型コロナに感染したが、最高の治療を受けて選挙戦に復活した。戻ってきたときの演説では、マスクを外して「神の恩恵」だと言い放った。そんな話をしたあとに、増田が「個人的には、『神の恩恵』ではなく『天罰』が下ったのではないかと思った」とひとことコメントを入れた。わざわざ予防線を張って「個人的には」という枕詞をつけたのだが、これに敏感に反応した日本のトランプ支持者たちが、YouTube学園を中心にネット上で増田たたきを「したらしい」。なぜカッコ書きで「したらしい」と書いたかといえば、私自身は、そのことを全く知らなかったし、現在に至るまで、その記事や書き込みなどを目にしていないからだ。じゃあ、なぜそのことを知っているかといえば、心配した番組関係者から「大丈夫ですか？　困ったことがあれば対処します」という電話をもらったことがきっかけだ。「えっ？　何のことですか??」と返事をしたぐらいだったのだ。

電話をもらった直後に、YouTube学園の年内最後の収録があった。この日はクリスマスだったので、気分よく過ごしたい、と思っていたが、確かめる意味でYouTube学園の動画をチェックしてみると、どう考えてもバッドの数がいつもより増えている。思い切ってスタッフに聞いてみたら、みんな増田の発言で炎上騒ぎになっていることを知っているではないか！　とはいえ、スタッフは、とても常識的な紳士淑女ばかりなので、増田に気を遣って、わざわざ言わないようにしてくれていたのだ。「あまりにもひどい書き込みばかり。反応すると、それは相手を喜ばせることになるから、こういうときは嵐が過ぎ去るのを待つのが一番」というのが、スタッフの総意だったのである。もちろん、その親切心と適切な対応に感謝をし、あと数日で新年を迎える、というタイミングだったので、時間が解決してくれるものと判断。結果はその通りになり、YouTube学園の動画に対する攻撃は一段落した。

　このプチ炎上騒ぎは、増田がトランプ大統領を悪く言ったことに対する攻撃だったと認識している。が、それが事実かどうかは定かではない。なにせ、増田本人が書き込みをはじめとしたネット上の騒ぎを見ていないのだから確認しようがない。そもそも、確認する気がないのだから仕方がない。

　というのも、YouTube学園を始めるときに、池上さんにもスタッフにも、増田はこういう宣言をしたのだ。

「私は、書き込みは見ません。必ず、誹謗中傷する内容が出てくるはずです。見ず知らずの名前も知らない人からの悪口で、落ち込んだり、怒ったり、なんてしたくありません」

　そもそも、日本で「池上彰」の名前を知らない人はほぼいないだろうから、池上さんの話を目当てに動画を見に来る人はいても、私など「一緒に出ているのは、誰？」というレベル。そのことだけでも攻撃（悪口）の対象になりうるということは十二分に承知していたので、そんなことで日々の生活に影響を与えたくなかったのだ。余計なことで気分悪く過ごさなければならないなんて、イヤだ!!!

YouTube学園を始めたきっかけは、池上さんのひとことだった。詳しいことはYouTube学園の動画にもあがっているが、新型コロナ危機の中、せっかく『感染症対人類の世界史』という本を池上さんと書いたのに、1回目の緊急事態宣言下で多くのリアル書店が休業、Amazonも生活物資優先で、読者の手元に届かない！　という事態に陥ったからだ。世界中が不安に包まれている中、少しでも前を向いて進んでいける材料はないか、それを歴史から学べないか、という思いで緊急出版した本だったので、せめてその内容をネット配信できれば、人々に届けることができる。個人的には、SNSに振り回されたくない、という思いが強いので、FacebookやTwitterにすら手を出したことはないが、本の内容を届けたい、という思いには賛同できたので、池上さんと一緒にYouTubeという新しい世界に足を踏み入れることにした。

YouTubeだから、本音が伝えられた

やるのであれば、いい加減なものは世に出したくない。テレビとは違う媒体だというのであれば、テレビでは言い足りなかったり、説明不足であったりすることもきちんと動画にしたい。いつでもニコニコ機嫌よく、作り笑いをしたり、自分が同意できないようなことに頷《うなず》いたりというのは、動画ではしたくない。日頃、池上さんやスタッフと話しているときと同様に、思っていること、考えていることを素直に正直に言い合いたい。そして、時には、テレビでは絶対に見られないような、池上さんのオチャメな部分や、苦手なことに格闘！していているような面も見せて、和《なご》めるような動画も作りたい。

そんな私の思いを池上さんとスタッフに伝え、一本一本動画を作っていった。

その結果、誹謗中傷などの書き込みはほとんどなく、大半が動画に対する好意的な、時にはシビアだが良識のあるコメントばかりだった。

「参考になることが多いコメントばかりだし、質問や次の動画へのリクエストも来ているから、（増田にも）読んでほしい」

と、池上さんからもスタッフからも言われ、結局、すべてのコメントに目を通すようになった。

毎日のように動画をアップしていく中で、増田が池上さんに対して、素のまま対峙するために、機嫌が悪くなったり、言い返したりする場面が出てきた。特に、今日のホームルーム【Ｚｏｏｍで裏話】（以下、Ｚｏｏｍホームルームという）日々のニュースに関して二人でＺｏｏｍで話をする動画では、基本的に素のまま、撮り直しや編集などはせずにアップする、というルールでやっている（事実関係に間違いがあれば別だが）。二人の意見が合わないことはもちろんあるし、池上さんがテレビ出演のときのように気取っていたり、時には独演会のような解説を始めたりすることがあると、増田はイラッとしてしまう。そういうときは、そもそも会話になっていないのだ。暴投ばかりのキャッチボールといったところだろうか。しかし、そのイラッとした様子でさえも動画としてそのままアップしているので、視聴者が不愉快に受け取り、ボヤ騒ぎ的な炎上をもたらしたことが二度三度あった。もちろん、そういうときには、増田批判のコメントがあふれ、池上ファンからの攻撃を受ける。正直に言うが、そんなことでもやっぱり言われる方は気分が悪いし、憂鬱になる。私自身はそういうことがイヤだったから、コメントも読みたくなかったし、だったらYouTubeなんてやめてもいい、という思いになる。

そんな気持ちすら、池上さんやスタッフにそのまま伝え、そのたびごとにYouTube学園のルールや二人の立ち位置、不機嫌だった理由、などをさらに動画を作って説明していく、ということをしてきた。

その結果、視聴者の多くは、私たちのやり方に理解を示してくれるようになり、双方向でこのYouTube学園を作っているんだ、ということを実感するようになった。言い方に語弊があるかもしれないが、よき生徒たち（視聴者）に先生（池上さんと増田）が育ててもらっている気がしている。２０２０年6月から始めて半年あまり経った頃からそんなふうに思うようになり、とってもいい空間、いい学園に成長してきたな、という喜びを感じるようになっていた。YouTube学園が私の中で「愛おしい存在」になっていたのである。

そんな空間を、池上さんのテレビでの発言をきっかけに、意味もなく荒らしに来た人たちのその暴挙をどうして許すことができよう。
私は絶対に許さない!!!

一方的な批判に反論する

テレビ局への攻撃とほぼ同時期に「バッド」評価が急激に増えたので、このYouTube学園にも攻撃が来た、ということはわかった。当初、「何か反応すれば相手に対して燃料投下になるから、無視して時が経ち、自然鎮火するのを待つのが一番だ」というのがスタッフの総意で、池上さん自身もそう思っていたはずだ。

私自身も最初はそう思った。しかし、一つひとつ思いをこめて作ってきた、100本以上あがっている動画に対して、尋常でない数のバッドが次々とつけられていく。そのうち、YouTube学園を支持してくれている視聴者からの書き込みで「TwitterでYouTube学園を攻撃するよう呼び掛けているのを見つけた」という報告を受けるまでになっていった。せっかく私たちのYouTube

学園を楽しみにしてくれている視聴者の方々に心配までかけている。

こんなおかしなことはない！　と、私は思うに至ったのだ。

だから、この炎上騒ぎに関して、池上さんと増田がどう考えているか、という動画を作ることにした。撮影はZoomホームルームと同じく、一発勝負で撮り直しなし。話をしてみて、スタッフや池上さんがアップしない方がいいと判断したら、出さないことにする、と決めた。

話の内容は、動画を見ていただければわかるが、

「動画の内容に対して、全部見た上で気に入らないとか、おかしいとか、できが悪い、と思って『バッド』をつけられるのであれば納得するが、テレビでの池上さんの発言の言葉尻をとらえて、悪意を持って匿名でYouTube学園に攻撃を繰り返すなんて卑怯だ」

というのが、私の主張だ。

案の定、この動画にはおびただしい数の「バッド」評価がつき、視聴回数も動画の中で最高記録を打ち立てた（2021年4月時点で41万回）。

もちろん、この動画に対する悪意に満ちたコメントの書き込みの数は尋常ではなかった。スタッフはそのコメントをすべて読み、整理したり削除したりするのにさぞ心身ともに疲弊したことだろう。

「著名な池上さんに対する攻撃が、テレビだけでなくYouTubeにまで及んでもそれは当然。だって自由な媒体なんだから」とか「都合の悪い書き込みを削除しているようだが、そんなことをしていいのか」という書き込みもあった。

そういった意見を受けて、スタッフからも「とてもじゃないけれど汚い言葉すぎてアップできないコメントでも、削除することは検閲や情報操作に当たるのではないか」と心配する声があがった。

それに対して、私はこう答えた。

「公共の電波を使っているテレビでもなければ、見てくれと宣伝しているわけでもない。YouTubeが自由な媒体であるというのなら、私たちのルールで運営をして何が悪いというのか。見たくない人は無視してくれればいい、見なければいいだけだ。私たちは私たちのルールの中でやっていけばいい」

なぜ、匿名で卑怯なやり方で、意味もなく他人を言葉で攻撃するような「ヤツら」に振り回されなければならないのか。絶対におかしい。せっかく楽しく学ぶYouTube学園という空間を作り上げてきたのに、それを邪魔するなんて許さない！　と私は思っている。

私たちは、私たちのルールを作り、それを「校則」としてYouTube学園を運営していく。願わくば、それが一つのYouTubeという媒体を利用するときのモデルになるように。以上が、この炎上騒ぎから私が学び、決意したことである。

YouTube学園の校則

誰もが楽しく学ぶことができるチャンネルを目指し、
以下の校則を定める。
校則は、事情の推移に応じて改訂されることがある。

［目指すもの］**自由・平等・正義のもとに、〝誰もが楽しく学べる場所〟**

① 出演者及び制作スタッフは、何よりも視聴者のために誠心誠意尽くすこと

わが学園の運営にたずさわる出演者と制作スタッフは、「誰もが楽しく学ぶことができるYouTube」であるために、視聴者の皆さまのために何ができるか、今、何を求められているのかを念頭において、常に行動する。

② 出演者の服装規定について

出演者は標準服を定める。スタッフ・視聴者は自由。
池上：作業服（釣り用ベストなども可）
※特に池上は、たとえ気が進まなかったとしても、テーマに応じてコスプレを楽しむことが求められる。
増田：オールインワン（要はツナギ）

YouTube学園の校章は植松画伯のデザインによるもの

③ 出演者及び制作スタッフは、互いを尊重し、敬意を持って自由闊達に議論すること

出演者は、気取ることなく、素顔であること、いつもの自分であることを大切にして、収録にのぞむこと。よって、お互いに思っていることを自由に言い合うことが基本。ときに、理詰めで、わかるまでしつこく「わからん」と言い続ける増田の発言によって、池上が追い込まれることがあるが、決していじめているわけではないことを理解されたし。

④ 出演者は、出演に当たり、気取ることなく素を大切にして、自由に発言すること

出演者、スタッフをはじめ、わが学園の運営にたずさわるすべての人間は、遠慮や忖度などを一切することなく、いつでも自由に思ったこと、考えていることを発言し、闊達に議論すること。その際、「遊びごころ」を忘れないことを心掛けたし。

⑤ 視聴者による書き込みを歓迎するが、誹謗中傷は認められない

ＹｏｕＴｕｂｅ学園は、視聴者との双方向で作り上げていくものである。ご意見、ご感想、ご提案、ご批判など、学園の発展に寄与する内容のものは大歓迎する。ただし、誹謗中傷を目的とするものはお断り。

最後に、視聴者と共にＹｏｕＴｕｂｅ学園を作っていくという理念にもとづき、積極的な企画提案を歓迎する。

代表　池上彰　増田ユリヤ

第2章 新しいジャーナリズムをYouTubeでやる

新しいジャーナリズム・メディアを目指して

増田　始めてからもうそろそろ1年になりますが、池上さんは、YouTubeを始めてみて、どうですか？

池上　それが、楽しくて。我ながらびっくりしている。

これまでも、テレビでも、書籍など出版の世界でも新しいことにチャレンジしてきたけれど、YouTube学園では新たなジャーナリズムやメディアの形に挑戦したいと思っているんだよね。

テレビでは、「週刊こどもニュース」で、ニュースに詳しいお父さん役を通して、家族でニュースを見て考えるというコンセプトの番組に挑戦した。NHKを退職した後は、民放のゴールデンタイムの番組で海外情勢を解説したり、選挙特番をしたり、さまざまな切り口で報道に取り組んできた。そこで次は、YouTubeという初めての分野に挑戦したいと思ったんだよね。

増田　私もYouTubeをやってみて、「私たちが伝えたいことを伝えられている」という手ごたえを感じています。テレビや出版の世界とは違う、池上さんと私の「本音」や「素」の部分を見てもらえたら、と思っています。

池上　そういう意味で、メイン動画以外に、日々のニュースについてＺｏｏｍで語るＺｏｏｍホームルームは、実にYouTubeらしい試みだよね。

増田　企画会議のときに制作スタッフから、メイン動画以外で二人の日常の様子がわかるようなものをアップしたいという意見が出たんですよね。当初、それぞれの毎朝の習慣、いわゆる「モーニングルーティーン」を自撮りしてもらえないかと提案されました。

池上　さすがに自分のプライベートを見せるということには抵抗があったので、別のアイディアはないだろうかと考えていたら、増田さんがよいアイディアを出してくれたんだよね。

増田　池上さんはきっと一人でカメラを回すなんてしないだろうな、と思っていたものですから。深夜まで原稿を書いている池上さんの起床は、お昼前後でしょうから「モーニング」ルーティーンにならないし（笑）。ちょうど、コロナ禍でＺｏｏｍなどを使った会議や講演会が増えていたので、Ｚｏｏｍを使った何かができたらいいな、と。それなら、池上さんと増田の日常的なやりとりをそのまま見てもらったらどうか、と思いつきました。

池上　オレも緊急事態宣言があってから、大学の授業をZoomで行うようになり、これはいいアイディアだと思ったんだ。

メイン動画は台本なしでやっているけれど、Zoomホームルームはもっと即興でやる。Zoomの時間になったら、スタッフがそれぞれの場所からアクセスして、オレと増田さんがその日気になることは何かということをざっくばらんに話していく。

5分くらいで何を話すか決めて、すぐに撮り始める。長くても30分くらいかな。収録に参加している動画の校正者やスタッフから情報の間違いや表現について同時進行で確認してもらい、必要があればすぐに撮り直す。その場で、制作陣とタイトルの相談をして、だいたい1時間以内にはすべて終了。その後、スタッフが正式なタイトルを作成して、オレと増田さんがチェックしたものをアップする。

増田　今までに動画は全部で約170本余アップしていますね（2021年5月現在）。

最初に撮ったZoomホームルーム「河井夫妻逮捕の裏には安倍政権と検察の知られざる戦い⁉」では、ただただ、テレビと同様にニュースの解説を続ける池上さんに、私が「じゃあどうすればいいんですか？」と繰り返し聞いていますね。池上さんがなかなか自分の意見を言わない。いらいらしているのが画面越しに伝わってきます（苦笑）。

池上　今見ても、増田さんから突っ込まれて、オレがタジタジになっているのがわかるよね。長いこと、ニュースの解説ばかりをしてきたので、自分の意見を言うということに慣れていないんだよ。

増田　実はこういうやりとりは、動画の中でも外でもあって、私が遠慮会釈なく池上さんに対して突っ込むのは日常的なこと。視聴者の皆さんは、きっとハラハラしてご覧になっていたことでしょうね。スタッフだって最初はハラハラしていたんですから。

そんな私の態度が批判されてしまったこともありました。

池上　ふだん、たとえばテレビではオレが解説をして、女性タレントあるいは女性アナウンサーが聞き役をするという構図が多いものだから、そのくせが抜けなかったんだよね。テレビとは全く違う世界が新鮮だったな。コメント欄に、テレビと違って、増田さんがオレと対等にやりとりしている、という書き込みもあったよね。

増田　情報番組やニュース番組は、男性が解説して女性アナウンサーが「素直に受け止めて」聞き役に回る、というイメージが、視聴者にもしみついているのでしょうね。

池上　増田さんのツッコミがあるからこそ、予定調和にならず、ニュースのわかりづらいところがわかりやすくなるし、見ごたえあるものになっているんだと思うんだよね。

今、あらゆる分野でジェンダー平等が言われるようになってきている。男性が解説し、女性が拝聴しながら頷くというのは、もはや前世紀の遺物という感

じだよね。これからは、男女で話をする場合でも、男性が過激なことを言ってあおったり、女性が過剰な反応をしたりするのではなく、真の意味で対等なスタンスで話し合うというスタイルが、いろんなところに広がっていくんじゃないかな。われわれは、その先頭を走っている、ということだ（笑）。

教育チャンネルというジャンル

増田　私たちのYouTubeは「教育」というジャンルでスタートしました。教育にこだわったのは2020年3月の学校閉鎖措置で、授業が受けられなくなった子どもたちに、私たちのYouTubeで学んでほしいという動機がありましたよね。

池上　活動の中心が、書籍や新聞、雑誌、テレビというのがオレたちだけど、どうしても50代以上の人が読者や視聴者になる傾向がある。YouTubeはそれにくらべ視聴者層がかなり若い。特に中高校生にこの動画を見てもらって、日本では関心が薄いと言われるヨーロッパなどの海外のニュースにも触れてもらえたら、という思いもあった。
日本国内で報道番組が増えているとはとても言えないし、その中でもアメリカ、中国、韓国や北朝鮮以外の海外ニュースはどうしても手薄になっている。

増田 YouTube学園をどんな方たちが見ているのか登録者から判断すると、30〜40代の男性が中心で、10代もけっこういました。この年齢層はテレビをあまり見ないと言われている層なのですが、私たちの動画が、日々世界で起きていることに興味を持つきっかけになってくれれば嬉しいですね。

発案からスタートまで2週間でチャンネル開設

増田 池上さんからYouTubeをやろうという提案があり、出版社と動画制作会社も制作チームに入ってもらって、2020年6月中旬からYouTube学園が始まりました。発案からチャンネル開始まで、実に2週間の出来事でしたね。

池上 のちに、オレが長年一緒に仕事をしてきたリサーチャー兼校正者と、美術担当者もチームに入ってもらい、今のYouTube学園の制作チームになったよね。メイン動画の収録はカメラや音声スタッフもいるけど、企画会議やZoomを使った撮って出しの日々のニュース解説（Zoomホームルーム）は、5名程度の少人数で進行している。

増田　テレビと比較すると、ずいぶん小規模ですよね。

最近徐々に、自分が発信するメディアなんだという実感が出てきています。

池上　チャンネルの開設前は、コロナ禍で学校に行けない子どもたちに向けて授業したいという思いだったけど、今はもっと多くの人に向けて、自分の伝えたいことを伝える場にしていきたいと思っているんだよね。

増田　私たちだからできること、にこだわりたいんですよね。

池上　だんだんとそうなってきていると思うけど、始めたばかりの頃は制作陣との意識の差も感じたよね。

YouTube学園の常識は、YouTuberの非常識⁉

池上　企画会議のときに、制作陣から「モーニングルーティーン」をお願いしたいと言われたときも驚いたけど、YouTubeの登録者数を上げるための常識というものを全く知らなかったものだから、制作陣の言っていることを理解し、われわれの考えを伝えて認識や方向性を共有するまでには難航したよね。

増田　スタッフと話しその都度考えてきたことが、自分たちのチャンネルのスタンスにもなっているな、と思います。

続けていく中で変わっていくとは思いますが、始めたばかりの頃に提案されて「しない」と決めたことが以下です。


YouTube学園開始時に決めた「しないこと」リスト

1 モーニングルーティーンの撮影はしない
2 YouTubeにアップするために、自撮りはしない
3 コラボはしない
4 本人たちはSNSをしない

まだいくつかあるかもしれませんが、動画の内容と関係のなさそうなことや、あまりにもプライベートなものを出すのは控えたいという思いがありました。
３のコラボというのは、他のYouTuberとのコラボのこと。ジャンルが似ている人気YouTuberとコラボして、その動画を見ている人に自分たちの存在を知ってもらうというのは当たり前のことなんだとか。

池上　でも、それよりもまず自分たちのチャンネルを確立することが先だという思いがあった。ゲストの方に来てもらったら、どうしても気を遣ってしまって言いたいことを言えないということもあるだろうし。

増田　池上さんはここ十数年の間、いろんな人にやるように勧められてきたのに、ブログもＳＮＳも一切やってこなかった。著書ではTwitterもＬＩＮＥもやらない、どころか、スマホを使うことすらめったにしない、とまで書いてますけど。これは今も変わってないんですよね？

池上　それは今も同じ。やるのはこのYouTubeだけだよ。
結局、ＳＮＳの類に手を出さなかった理由は簡単で、〝時間を取られて本を読めなくなるのがイヤ〟ということだった。Twitter一つとっても、単にその時々の適当な思いつきを数十文字書いて投稿すれば終わり、というわけにはいかないよね。発信する内容には、短文とはいえ（いや、短文だからこそ）相当に神経を使わなければいけない。間違いはないか、嘘はないか、誤解されるようなところはないか、薄っぺらな理解で話してないか……、考え始めるときりがない。

増田　ネットでの発信について、〝渋谷のスクランブル交差点で大声で話しても差し支えない内容でなければ発信するな〟という専門家のたとえ話があったと思うけど、よくわかります。

池上　しかも、発信したら終わりじゃなくて、場合によってはさまざまな反応に対応しなければいけないこともあるのだろうから、とにかくやたらと時間を取られてしまう。

政治家や専門家のSNS発信から情報を得る人が多いのもわかってはいるけど、本当に重要なことなら、たいしたタイムラグもなく新聞やニュースサイトなどで話題になるので、自分にとってはそれで問題ないと思っているんだよね。

というわけで、文字情報によるネットでの情報発信については、今も（自分がやるという意味においては）興味がないのは変わっておりません、はい！

増田　そうですか。よ〜く、わかりました！

私もＳＮＳには振り回されたくないという思いが強いんです。YouTube 学園を始めたといえど、四六時中ネットの評判を気にすることはできないと思いました。特に炎上騒ぎがあってからは。

池上　**制作陣に、ＳＮＳをやらない YouTuber は初めてですと言われたよ。**

増田　チャンネルを続けていく中で私たちのスタンスも変わっていくでしょうけど、自分たちのペースを崩さず、納得したものを出したいということにつきるんですよね。先に挙げた YouTube 学園の校則にもつながってくることだと思います。

YouTubeについて知ってましたか？

増田　こんな調子ですから、YouTube学園を始めるまでYouTubeについてよく知りませんでした。

池上　YouTubeは原稿執筆や資料を探す合間に懐メロを聞くために利用していたんだよ。ｔｒｆやＺＡＲＤなど、80年代～90年代のＪポップを聴いていた。**特定のYouTuberの動画を見たり、情報を得るために利用したりすることはなかった。**

増田　私もほとんど見たことがありませんでした。ここまでYouTubeが認知されるようになるまでは、「暇つぶし」という捉えられ方が一般的だったように思うんですよね。

ヨーロッパに向かう難民たちを取材したときに、難民キャンプにスマホの充電器があったことに驚きました。今やスマホを持ち、同じ境遇の人のＳＮＳを頼りに移動するのです。

池上　難民キャンプと聞くと何もないように思われるかもしれないけど、決してそうではない。特に情報は命綱だからね。ヨルダンのシリア難民キャンプで出会った男性が、「シリアを出たときに妻と別れ別れになってしまったが、この難民キャンプで出会えた」と言うのを聞いて、「これはドラマだ」と感激。どうして再会できたんですか、と聞いたら、「スマホで連絡を取り合ったから」という答え。ドラマでも何でもなかった。

セルビアの難民キャンプで取材したシリア難民は、そこまでの道中の様子をスマホで動画収録していて、見せてくれた。シリアを出てヨーロッパまでの道のりも、スマホのGPS機能を使って迷わずに来られたわけだ。

こうした難民を支援するため、ボランティアの人たちがルートの途中に休憩所を設営し、スマホを充電させたり、無料のWi-Fiスポットを用意したりしていた。中東やアフリカの難民が大挙してヨーロッパに来ることができたのは、ネット環境が充実したからなんだよね。

オレが初めてYouTubeの影響力をはっきりと意識したのは、「小学生がなりたい職業」でYouTuberが上位の常連になったというニュースだった。

増田　2017年に「将来なりたい職業」の回答項目として「YouTuber」などのネット配信者」が登場して以来、YouTuber は上位の常連の職業となっているようです。男女差が大きい項目で、男子だけなら2019年にはそれまで不動だった「プロサッカー選手」を初めて抑えて1位となったんです（学研教育総合研究所「小学生白書」）。

しかもこの調査をさかのぼると、「職業」としてこの項目が登場した理由としては、2016年の調査の際に、自由記述で「YouTuber」と書いた小学生が0・5％にものぼったことが始まりだったようです。恐らく、調査する大人たちが全く認識しなかったうちから、子どもたちの間では〝憧れの職業〟の一つとなっていたことは間違いなさそうです。

池上　で、いわゆる「YouTuber」が、投稿した動画が世界で何億回も再生されて人気、とか、何億の収入を得ているという話は、当初はごく一部の事例にとどまっているのではないかと思っていたんだけど、どうも違うらしい……と。

さらにデータ的にもスマートフォンやパソコンなどの通信機器の利用目的と

して、ここ数年「ゲームをする」と「（学習以外の）動画閲覧」が1位を争う状態が続いていて、毎日45分前後の時間を費やしているという結果が出ていた。3位の「情報収集」の時間が23分だから、段違いの長さだよね。テレビの視聴時間が短くなっているという話と併せて考えると納得できるというものだ。

増田　日本のYouTubeの利用者は、18〜44歳で3000万人以上という調査もあります。テレビの視聴者層の高年齢化の話を聞くようになって久しいんですけど、逆に、YouTubeを見ているのはほとんどが若い世代ということになるんですね。

池上　それを実感することも多くなっているね。あるテレビ番組に出たときに、今の小学生たちは何を見ているのかというので、テレビによく出ているお笑い芸人の写真を示しても誰も知らなかった。でも有名YouTuberのHIKAKINを出すと「ああ知ってる！」とくる。さらに、他に誰の名前を知っているかと聞くと、次々とYouTuberの名前が挙がる。小学5、6年生だったけど、さっきの「小学生白書」の結果が一気にストンと腑に落ちた感じ。テレビのライバルがYouTubeだということも今更ながら納得できたよね。2020年の4月頃のことかな。

増田　そうなると、非常事態宣言下、子どもたちに伝えようとするなら、テレビよりもYouTubeの方がより可能性がありそうだということになる……。

「バズる」ことより、まずは「信頼」を

増田　こんなにネットのことを知らずにYouTubeを始めるなんて無謀でしたね（笑）。

池上　拙速を貴ぶ、というのはオレのモットーだから。

もちろんYouTubeの登録者数が増えて多くの方に見てもらう、結果的に運営費をまかなえるようになることを目指してはいるけれど、このチャンネルの「校則」を曲げるようなことはできないとも思っている。

増田　そろそろチャンネルを開設して1年が過ぎますが、登録者の人との信頼関係ができつつあることを感じます。動画を見て質問していただけると、とても嬉しい。
池上さんの本音を引き出すために、私がわざとつっかかったり、何度も聞き返したりしているのを見て、見ている人から態度を批判されたことがありました。それを受けて、スタッフと話し合い「増田さんの態度批判されたけど……私たちの立ち位置説明します」という動画で、私たちの気持ちを話しました。そういうことも含めて、見ている人とよい関係を作ってきたと思うんです。

池上　いつの間にかYouTube学園にコミュニティのようなものができてきたよね。増田さんが前章で書いてくれたように、さながら先生と生徒の「学園」のようだね。

ネットを利用した誹謗中傷やいじめがあるのだとしたら、その一方で、「これがいい」と思う人たち同士が集まったコミュニティがもっと大きくなってもいいはずだよね。コミュニティがメディアになっている。

増田　はからずも、何かがあったときに私たちのスタンスの動画を見せてきたことで「炎上」し、視聴数や登録者数が増えるという現象が起きましたが、それは私たちの姿勢を貫いた結果に過ぎないんですよね。炎上を狙っていたわけではないんです。

池上　そもそもわれわれは狙って炎上できないし。できれば、炎上したくない。

増田　YouTube学園は、これからも地道に、日々のニュースや歴史について誰もが学べる動画をあげていきたいと思っています。もちろん、事実にもとづき、間違いがあればその都度修正します。

ニュースや歴史について知るなら、テレビや新聞や本もいいけど、まずはYouTube学園を見よう、あのチャンネルだったら信頼できる、と思われるようなものにしたいと思っています。

池上　ネットには玉石混交の情報があふれているけど、YouTube学園がYouTube時代のジャーナリズムの一例となれたら、と密かに思っています。

column

ファクトチェックのノウハウ公開

工藤浩紀

事実にもとづいた動画作りを信条とするYouTube学園。
それを支えるプロがこの道20余年の工藤氏だ。
ファクトチェックで気をつけていることを聞いた。

6月に池上さんから電話があり、YouTubeをやるから手伝ってくれと言われ、まず頭に浮かんだのは、「あれ？　SNSの類は一切やらないって言い張ってたのにどうしちゃったの？」ということ。驚きました。池上さんとは、「週刊こどもニュース」に参加して以来の付き合いです。NHKでは、局の資料室という膨大な資料が身近にあり助かりましたし、勉強にもなりました。その後も7年余り、テレビや活字媒体で池上さんの手伝いをしました。

YouTube学園では、その日にアップするZoomホームルームで、数字や固有名詞を言い間違えていないかなども含め、話を聞きながらチェックしています。収録の最後に「工藤さん、何かありましたか？」って毎回聞かれるので、疑問点があれば池上さん、増田さんと相談しながら、ここで解決します。

本編は長尺なものもあるので、かなり細かなチェックになることもあります。

「スパイ」の動画では、MI6の由来を語る池上さんの認識と私が参照した『MI6秘録（上・下）』（キース・ジェフリー／高山祥子訳／2013年／筑摩書房）の内容に若干のズレを感じ、組織の名称や変遷についてまとめて池上さんにメール。判断を仰ぎました。こちらの指摘をちゃんと考えてもらえると予想したところ、ほどなく「なるほど。そういうことでしたか。」という打ち返しをいただいて、修正も決着できた次第です。

資料は、国会図書館や大手書店の検索サイトをよく利用します。漠然としたネット検索よりはるかに効率がよいと思います。歴史の基本は、複数の出版社の『高校世界史B』の教科書です。資料選びで気にかけておいたほうがよいと思うのは、その分野の専門家による論文、著書にあたること。一方で、Wikipediaをはじめとしたネットの情報も、参考にします。どこから手を付けていいかわからない場合は、取っ掛かりとしてネットは便利ですが、内容は鵜呑みにしないこと。統計など公的な調査資料でのダブルチェックは欠かせません。

第3章　YouTubeで伝えるということ

YouTubeは本音を語る場

こんな池上彰、見たことない！

増田　YouTube学園を始めたばかりの頃、制作スタッフは池上さんにずいぶん遠慮していましたよね⁉

スタッフは池上さんを遠くから眺めていましたから。出来上がった動画が、池上さんが出演する情報番組のような仕上がりになっていました。

池上　それはそれで、きちんと編集されていて完成度は高い。けれども、これでは何かが違う。どうしたらテレビとは違う「YouTubeらしさ」が出せるんだろうと考えていたんだ。ただ、その違和感の正体がわからなかった。

増田　その正体が明らかになったのが「池上彰のオタクな話」というシリーズ

の「GPSの仕組みをわかりやすく解説！プライバシーの侵害から身を守るために」でした。

実はこの動画、編集をめぐってダメ出しの嵐になってしまったんですよね。

池上　このシリーズは、オレが常日頃から興味関心を持っているけれど、テレビでは絶対に扱わないような「ディープな話」を、オタクモード全開にして語るというもの。「GPS」の回は米露の軍事衛星の精度について取り上げた。

ロシアのクレムリンにいるプーチン大統領が、GPSのかく乱によってミサイル攻撃やドローン攻撃を免れる対策を取っているという情報があって、ピンときたんだよね。われわれがふだん利用しているGPSは、もともと軍事目的で作られたものだった、というところから説明したら面白いんじゃないかって。そう考えたら、もう説明したくてウズウズしてきちゃって（笑）、提案したんだ。

ところが、軍事衛星の電波をかく乱させる仕組みについて、いくら説明しても、増田さんが全然納得してくれない。何度も「わかりません」と言われてしまって、もうオレの方はタジタジで冷や汗かきまくり（苦笑）。

増田　池上さんが自分の常識の上に立って、あまりに専門的なことを興奮気味に話すので。言葉づかいは難しくないし、説明は間違っていないと理解できるんですが、状況の概念がまるでつかめない。もっと違う視点で説明してくれたらわかるのかもしれない、と思って、何度も何度も聞き返してしまったんです。そもそも、GPSが目標物の位置を特定する原理がわからないのに、どうやってその電波をかく乱しているかなんて、一般の人が聞いてもそんなに簡単にわからないと思ったんですよね。

池上　増田さんに「わかりません」と言われるたびに焦って、ますます説明できなくなるから、現場も「これはやばいぞ」という空気感になるし（苦笑）。

増田　私のこれまでの経験上、ほんの些細なことでも、自分がわからないことや納得していないことをそのままにすると絶対に間違いをおかしたり、失敗したりするんです。だから、少しでもひっかかることがあると、必ず確認することにしているんです。それでも十分じゃないことがありますが。

池上　オレがあまりにも冷や汗をかいて必死になっているものだから、そのやりとりがおかしかったのか、スタッフがふと笑ったんだよね。

今見返しても、必死になって説明しているオレに増田さんが何度も「わかりません」というやりとり。もう絶妙だもの。

増田　そりゃそうでしょう。知らないことは何もない、何でも知っていて、何を質問しても答えてくれる、いつもテレビで見ている「池上彰」とは全然違うんですから。こんな姿、見たこともないし、見せられたこともないですしね。

初めは戸惑っていたスタッフも、私と池上さんのやりとりにあきれて、思わず笑ってしまったのでしょう。第一、池上さん自身が途中で「こりゃ、面白い！続けよう」みたいなことを言い出したじゃないですか（笑）。

池上　だから、収録が終わった後、これをそのまま動画にすればいいんじゃないか、と思ったんだよ。

池上彰をいじっていいのか!?

池上　それが、出来上がった動画を見たら、オレと増田さんのやりとりがすべてカットされていた。オレがあまりに理路整然と話していて、増田さんは聞いているだけ。悪いけど、面白みもない解説に仕上がっていた。
後から聞いてみると、うまく説明できていない池上彰を見せていいのかという葛藤が、制作スタッフにあったみたいなんだよね。

増田　そう思っても当然ですよね。でも、YouTubeはテレビとは違うというのであれば、池上さんと増田の素の部分を見せなきゃダメでしょう。池上彰だって、時には失敗したり、格好悪かったりするという姿を(笑)。

池上　現場で面白いと言っていたものと編集されたものがあまりに違ったので、動画の編集をもう一度やり直してほしい、少なくとも2か所は、池上がうまく説明できていない様子を入れてください、と伝えた。もっと素の部分を出した方がいいんじゃないかな、と思うようになっていたからなんだ。

増田　制作スタッフの間でも何度も打ち合わせがあったようですが、最終的に、動画の最後にNGテイク集を入れるという編集をしてくれました。

池上　あれはお見事、あっぱれでした！　そうか、池上の悪戦苦闘を途中に入れてしまうと、見ている人もわからなくなる。そこでいったんはきれいにまとめて、その後でメイキングのNG集という形で入れれば、見ている人もGPSについて理解した上で、笑いながら見てくれる余裕ができるというわけだ。制作スタッフの発想と力量に脱帽だったね。真面目に見ていた視聴者のみなさんも、池上のNG連発にきっと脱力して笑ってくれたんじゃないかな。

ああ、YouTubeはこういう遊び心のある編集ができるんだ、と嬉しくなってね。これをきっかけに、われわれも制作スタッフも、新しさに開眼したんじゃないかな。

愛あるツッコミが、内容を深める

池上　実のところ、ふだんのオレと増田さんのやりとりでは、こういうことがよくあるんだよね。片方が話すことに対して質問し、それに対して、じゃあどうすればわかりやすく説明できるかということを考えて話す、ということを積み重ねてきているんだ。

増田　池上さんが一方的に話しているだけだと、見ている方も単調に感じてしまうと思うんですよね。特に私のように人の話を一方的に聞かされているのが苦手な人間は、ひどいときには眠くなってしまう（笑）。

池上　どうせオレの話は眠くなりますよーだ！

「ＧＰＳ」の回のコメントでも、「増田さん、わからないところにツッコミを入れてくれてありがとう」「ちゃんと質問してくれる人って大事なんですね」というものがあった。増田さんの意図をきちんと理解してくれる人が増えてきている。ありがたいことじゃないか。

増田　この本の編集者からも、増田が質問をするときにどういうことに気をつけているか教えてほしい、と言われたのですが、そんなことを言われても答えようがない（苦笑）。

というのも、こういうことには気をつけよう、などと意識的に考えたことすらないんです、私は。ただ、池上さんの話を聞いていて「ちょっと待って、それってどういうこと？」と思った瞬間に、質問を投げかけていると思います。

話がかぶる、池上さんに失礼だ、ちゃんと人の話を聞け、というお叱りの書き込みをいただいたこともありましたが（苦笑）。

でも、その瞬間を逃すと、池上さんは一方的に話すことに慣れきっているし、ご自分の説明がわかりやすいに決まっているという自負もあるしで、そのまま話が流れていってしまうんです。失礼を承知で言わせていただければ、池上さんの話しぶりは、わかりやすいので、その場ではわかった気になれる。日本国民の先生のような存在であるから、質問もしない。もちろんそれは、それほど多くの人たちからの信頼を得ている、ということでもあるんですよ。

でも、自分のレベルで本当に理解できたか、といえば、私の場合、そうではないことがある。ちょっとの疑問でも、見過ごすと放送事故になるような大きなミスにつながることがある、ということを繰り返し経験していますから、そうならないように、という気持ちで臨んでいる、ということにつきます。

池上　その質問にどう答えるか考えることによって、自分自身の理解も深まっていく。「わからない」と言ってもらえるからこそ、わかりやすい説明ができる。

さらに動画の編集によって、面白くしてもらえる。愛ある「ツッコミ」「いじり」は大歓迎ですよ。

増田　愛ある、ですね（笑）。

池上　愛があるかどうかわからないけどね（笑）。

伝えようとする相手が、何がわからないかがわかれば説明ができるようになる。常に、伝えようとしている相手の立場を想像できるか、ということだよね。

　オレはNHKの「週刊こどもニュース」で、小学生の「これはわからん」に答えるために、物事をわかりやすく伝える経験は積んできたけど、伝えようとしている内容について「何となくはわかっているけれど、詳しくない」という大人に伝える経験は不十分だったなあ。

CIA、KGB、モサドに007まで。池上の「オタクな話」は続く

増田　「池上彰のオタクな話」では、スパイシリーズもありますよね。失礼ながら、私は全然、スパイというものへの興味関心がありませんでした。

池上　アメリカで、元ＣＩＡの中国のスパイが捕まったというニュースがあったので、それを見たとたん、ウズウズしてきて（笑）。スパイについて解説したくなったんだよね。米中対立が深まる中で、企業に入り込む中国人スパイの摘発もさかんになってきているし。

オレはもともとイアン・フレミング原作の「００７」シリーズが大好きだった。原作は全部読んだし、映画化されたものも、中学生のときからずっと見てきた。ジョン・ル・カレの『寒い国から帰ってきたスパイ』（ハヤカワ文庫）に代表されるスパイ物やブライアン・フリーマントルのシリーズ作品に登場するチャーリー・マフィンなどに夢中になってきたという事情はあるけど。スパイというのはフィクションの世界だけじゃなく、現実に存在している、世界で起きていることに裏側から関わっているということを知ってほしかったんだよ。

スパイはもともと、戦時中に敵国の情報を得るための機関として発展したけど、東西冷戦時代にスパイ組織が整備され、一段と発展した。オーストリアのウィーンにあるソ連大使館の下にアメリカのＣＩＡが地下道を掘った。地下に埋設されていた電話線に盗聴器を仕掛け、大使館が本国モスクワとの間で行うやりとりを全部把握していた、なんてこともある。

また一方で、モスクワのアメリカ大使館を建て替えたら、壁のそこら中に盗聴器が仕掛けられていたことがわかったし、中国が国家主席用の専用機をアメリカのボーイング社に発注したら、やはり機内が盗聴器だらけだったことが発覚したこともある……。戦争が終わった今になっても国家を守るための機関として存在している。架空の話じゃないんだよ。

そうそう、モスクワの日本大使館に盗聴器が仕掛けられていないか、日本の外務省から定期的に技術スタッフが点検に行くんだけど、あるとき盗聴器を発見した。そうしたら、そのスタッフがホテルに戻った後、突然体調を崩してしまったなんてこともあったんだ。外務省は発表していないけど。

増田　あきれた。この調子ですものね（笑）。一度話しだしたら、止まらない。私は「００７」シリーズは知っていても、原作者のイアン・フレミングの名前は知らないし、ジョン・ル・カレの名前も知らない。でも、打ち合わせのときに、スタッフ全員が「うん、うん」と頷いてわかったといった顔をして聞いている。その姿を見るたびに「私のように話についていけない人だっているんじゃないの？」という思いになるわけです。「オタクな話」は池上さんの「解説したがり」が全開で、それでとっても面白いということは私にもわかるので、覚悟して臨んでいます。

池上　覚悟することかよ（笑）。

スパイも新聞や雑誌、ネットで求人する時代

増田　「スパイ」の回では世界地図を使って、世界のどこにどういうスパイ組織があるかを解説しました。スパイ好きにはたまらない、永久保存版ですね。

池上　スパイの解説だけじゃなく、イギリスの情報機関ＭＩ６は、イギリスの週刊経済誌「The Economist」にスパイ募集の広告を載せている、とかね。

増田　スパイのリクルートの仕方が、優秀な大学の学生に声をかけるというのにも驚きました。

池上　舞台はアメリカのハーバード大学やイギリスのオックスフォード大学だからね。ここで教授から「国のために働かないか」と言われて、リクルートされる学生もいる。

　ロシアのプーチン大統領はKGBのスパイに憧れて、子供の頃に当時のレニングラード支局に訪ねていって、どうしたらスパイになれるか聞いたんだよね。そしたら、そんなことを言っちゃいけない、KGBはスパイになりたいという人を採用しない。たくさん勉強して、いい大学の法学部に入りなさい、そしたら、KGBの方から接触するから、と言われたというんだよね。

増田　その教えにしたがった結果、レニングラード大学法学部に入り、KGBのスパイになるという夢をかなえたんですよね、プーチンさんは。その後、大統領に就任したわけです。

池上　プーチン大統領の言葉に、「元スパイというものは存在しない」というのがある。つまりいったんスパイになったら一生スパイだということ。ということは、プーチン大統領は今もスパイ組織の指導者のつもりなんだろうね。

増田　言葉の真意を考えると、少し怖くなってきますが。
私は池上さんの解説を聞きながら、アメリカ大統領選のロシア疑惑やここ最近、陰謀論が活況なことについて、こういうスパイの世界があるから、いろいろと思う人がいるのだろう、という理解をしました。

池上　それもあるだろうね。実際に戦後、スパイが裏で動いていたという報道もあったから。今でも、明るみになっていないだけで、スパイが暗躍しているんだ、と何かにつけて思う人は多いよ。多くの人に知られるようになったスパイ事件は、いずれも失敗したもの。成功してるのは、そもそも誰にも知られることはない。
そうそう、「イケメンスパイは存在しない」という話もしたっけ。イケメンだと相手に強い印象を与えてしまう。プロのスパイは特徴がなくて、会った人が後になって思い出そうとしても顔が思い浮かばない。これが本当なんだよという話もしたね。

増田　これはロマンを期待する人をがっかりさせる話でしたね。

池上　実は、スパイについては一回ではしゃべり足りなくて、「モサド」をテーマにしてもう一度撮影したんだよね。

増田「まだしゃべり足りないわけ⁉」と半ばあきれましたが（笑）。「スパイ」の動画は池上さんがずっとしゃべっていて、なんと40分もあります！　収録は60分もかかりました。

池上　まさか60分もしゃべっているとはね。自分でも驚いた。

増田　よく言いますよ！　これだけ語ってもらうと、さすがに、少しはスパイというものの魅力を理解できた気にはなったのですが、結局、やっぱり増田自身は興味が持てませんでした。

池上　ああ、残念。男のロマンの世界だからね。

増田　池上さんの話についていけないと思いながら、羨ましいなあ、とも思っているんですよ。私はオタク気質ではないものですから。何事も、これが好きで知りたい！　と思う気持ちが原動力になりますからね。

池上　そうは言っても、イスラエルのモサドの就職実技試験を紹介したら、増田さんが見事に適切な答えをしていたね。増田さんにはスパイの素養があることがわかった。

増田　別に、当然の反応をしただけですけど。

池上　それが凄いんだよ。天性のものがある。

それはともかく、見た人からは「面白かった」という反応が多かったけど、「私もついていけないです」という書き込みもあったね。そうか、増田さん以外にも、そういう人がいるんだ、というのは新しい発見だったな。

テレビでは企画が通らない「M資金」

増田　あとは、「M資金」ですね。

池上　戦後の日本で、日本軍の財産を接収したGHQの資金がその後、日銀の金庫に隠されていて、政府が経済を発展させる目的でひそかに企業に融資しているという噂があった。この資金はGHQのマーカット将軍のMを取ってM資金と呼ばれているんだけど、知る人ぞ知る話とされていた。戦後実際に日本軍の隠し財産を手に入れて成功した人がいることで、今でも信じられていて、たびたび詐欺被害が報告されている。M資金を「マッカーサーのM」と信じていた人もいるみたいだけど。「マーカット将軍」の名前を出すところが、もっともらしいだろう。

これまでも、全日空の社長がM資金の融資話にひっかかって退陣し、後任がロッキード事件に関与していくことになったからね。俳優の田宮二郎が詐欺にあって心労から自殺するなんていう悲劇が起きたこともある。そして最近、コロワイドの会長が31億円あまりの被害にあって、また話題になった。

企画会議の段階で、スタッフがぼそっと「個人的には面白いと思うけど、テレビの企画としては提出できないだろうな」とつぶやいていたのが印象に残っている。オレもテレビ局で長年仕事をしているプロデューサーに、同じようなことを言われたからね。

増田　私もM資金という言葉を知りませんでした。お話を聞いた後も、興味関心が違うのか、例によって、全然ピンとこなかったんです。そもそも今の時代にまだ戦後の隠し資金があるなんて。スケールが大きすぎて、本当のことなの？と思ってしまいました。

池上　そこがミソなんだよ！　詐欺師たちは、高級ホテルのスイートルームやラウンジにターゲットを呼び出して、あなただけにはこっそり教えます、とそれらしい話を持ちかける。「これまでも名だたる大企業が、ひそかに融資を受けて立ち直った」なんて言いながら、有名企業の名前を次々に挙げる。そうすると、これはもしかしたら本当かもしれない、という気持ちになってくるんだよ。騙《だま》すのに用意周到で、多額の経費をかける。それでも騙せればたっぷり儲けられるというわけだ。

増田　自分を、選ばれた人間のように思わせるのが手口。だから、いい気分になって、うますぎる話なのに疑う気持ちを忘れてしまうのかもしれません。

池上　M資金のようなニュースは、新聞の一面には載らない。でも、小さな記事にはなっていて、こういう記事の裏側にあることは何なのか、なぜこんなことが今でも起きるのか、ということを深掘りすると、なかなか面白いものがあるんだよ（と、一人頷く池上）。

増田　YouTube学園で「M資金」を撮影した後に、コロワイドの会長が匿名で毎日新聞のインタビューにこたえていましたよね。

池上　そうそう。扱ったことが後日新聞記事になったりするのを見ると、こちらの方が早く反応したぞ、と思って密かにガッツポーズしたりして。

増田　「M資金」のときは、いつも紙芝居を作ってくれる植松さんが、見事な絵を描いてくれました。彼もM資金のことをよく知っているな、と思いました。それに、編集のあやしい音楽も効いていましたよね。詐欺師の騙しの口上のときには画面もシロクロになったりして。池上さん、いい顔してましたよ！

池上　「池上彰のオタクな話」のときは、あやしさ満点だったり、男子の心をくすぐったりするような、ディープな雰囲気がいいんだよ。制作スタッフがノリノリになって編集していることがわかるよね。

「M資金」の動画を出したとき、自分が思ったよりも大勢の人がコメントをくれたことに驚いた。当初、これは伝わるのかな？と思っていたから。YouTube

俳優や経営者など、成功者の承認欲求につけこみ巨額の詐欺被害を出した「M資金」。その魔力にひかれ、今なお事件が起きている。動画の紙芝居より

は、視聴者との距離が近く、反応もすぐに返ってくるからね。

今ではYouTubeで話せる話題はないかという視線で、「M資金」のような記事を探すようになった。

2021年2月に国会で野田佳彦元総理が、菅義偉総理に、「なぜ総理公邸に住まないのか」と追及したという記事が、新聞の政治面に小さく掲載されているのを発見したときも、ピンときた。そうだ、以前から「総理公邸には幽霊が出る」という噂があったっけ。野田元総理の質問をきっかけに、この話を展開できな

いか、と考えたんだ。

なにせ過去には安倍晋三前総理が公邸に住まないことに関して国会議員が質問主意書を出して「幽霊が出るという噂と関係しているのか」と問い質《ただ》したことがある。このテーマを扱うと、総理官邸と総理公邸の違いとか、質問主意書というものがあるとか、政治についての解説にもなるんだよ。

増田　ここでも私は話についていけませんでしたけど。幽霊の話が出るだけで白《しら》けちゃうんです。でも、これも、制作スタッフの編集が秀逸でしたよね。池上さんがこの話をしたい、早い方がいいから当日出したい、と言ったので、収録前から使えそうな資料をしっかり準備してくれていました。おかげで、編集もスピーディにでき、よりわかりやすい動画になりました。

コロナ禍ということもあって、なかなかリアルなイベントはできないのですが、いつか視聴者のみなさんと直接会っていろいろな話をしてみたいですよね。

池上　みなさんの前で、私のオタクな話を披露できる日が早く来ないかな。その日に向けて、もっとオタクな話題を仕込んでおかなくては。

YouTubeだから広がる学びの可能性

ニュースも授業も背景がわかるとより面白くなる

増田　ニュースを見るときに、その背景や歴史を知っていると、もっとニュースが面白くなります。日々の報道でも、背景に触れることはあっても時間や紙面の制限があるので詳しく伝えることができません。結果、「ニュースがわかりにくい」と多くの人が思ってしまう現実があります。

池上　増田さんが2021年3月まで毎週コメンテーターとして出演していた朝の番組は、出演時間は2時間なのにコメントできる時間は短かったよね。

増田　はい、30秒とか40秒とかで自分の考えを話さなければならないので難しかったです。朝の時間帯は、その日一日を過ごすために必要な、知っておきたいニュースや天気予報などを扱います。出勤前の視聴者のためにコンパクトに伝えようという目的の番組でもあるので、ニュースの解説を丁寧に話すほどの時間はありません。4月からはお昼の番組のコメンテーターに替わったので、以前よりは話す時間が増えました。それでも、コンパクトにわかりやすく話す、ということが基本ですから、試行錯誤を重ねています。

一方YouTubeでは、今まで伝えたくてもなかなかチャンスがなかったテーマを、私が取材してきた写真や動画などの素材をふんだんに使いながら説明できるのはありがたいことです。

池上　増田さんは本当にまめに取材に出かけているよね。トランプ政権誕生前夜の2016年以降、アメリカには8回、そのほかにドイツやフランスなどヨーロッパ各国や、ベトナム、香港などのアジア、イスラエルにも行っている。コロナ禍で2020年は海外どころか国内出張でさえ思うに任せなかったのは、現場取材を基本と考えるジャーナリストにとってもつらい日々だったよね。

増田　取材に行ったときの資料をすべて整理する暇もないままに、次の取材に向かうことも多かったので、この機会に取材写真や動画を整理してみたら、膨大な数にのぼっていました。整理の必要ができたのも、取材してきた写真や動画を使ってYouTubeで解説してはどうかという提案をもらったからなのですが。自分でテーマや内容を決めることができるYouTubeというメディアなら、今まで「この国で起こっている問題は大切だけど視聴者にはなじみがない」とか「このテーマはこの切り口の方がわかりやすい」とかいう理由でなかなか取り上げる機会がなかった場所やテーマも扱えるのではないかと考えました。

コロナ禍ならではの試みもできました。せっかく現地まで行っても、私の滞在日程と先方との予定が合わず、取材ができなかったことも数知れず。でもZoomなら、時間さえ合えば、日本にいても海外の人とつながれます。mRNAの研究で知られる米国在住のカタリン・カリコさんをはじめ、ヨーロッパの映画監督へのインタビューなど世界が広がりました。

池上　台本もなく、自由に二人のやりとりで進めていくことで、思わぬ化学反応も起きるよね。オレも増田さんの解説に触発されて、この場所ならこの話題もあるよねという話を思い出して、内容がどんどん充実してゆく。その勢いと自由なテンポのよさが、YouTubeの醍醐味《だいごみ》だと思う。

増田　でも視聴者に内容を面白いと思ってもらい、見てもらわなくては作った甲斐もないし、なにより、勉強になった、見てよかった、と思ってもらえなくてはつまらない。予備校の授業など受験に備えるというだけなら、そんな動画はあふれています。効率よく知識を身につける、というのではなく、自分のアタマに映像として浮かんでくるほど納得のできる内容にしたい。その内容や見せ方は、私が高校で教えていた経験と、NHKでテレビやラジオの仕事を取材・制作から出演まですべて手がけていたことが土台となっています。

「身近なことに引き寄せて理解させる」ことを目標にしていた教員時代

増田　私は、大学卒業後、二つの高校で社会科の講師を27年間つとめました。最初につとめた女子高の生徒たちが、社会科には、といいますか、勉強には全く興味関心がない子たちが大半を占めていたので、どうしたら授業中に私の話を聞いてもらえるか、日々格闘していました。なにせ、日本史の時間に「卑弥《ひみ》呼《こ》」と書いてルビをふっていると、「それなら読めるよ、靴のブランドにあるから」なんて声が聞こえてくるような教室だったのですから。日本史なら人名や用語の漢字をどう読むか、ということに始まり、地名は地図とセットで一つひとつ場所まで確認する。歴史は人の生活そのものなので、たとえば古墳時代の話をするならば、お墓参りに行ったことがあるか、身近な人の葬儀に参列したことがあるか、などという話をしたり、暦と行事の話から始まって、歴史をさかのぼって考えたり、ということをしていましたね。

池上　YouTube学園で最初に扱った感染症の歴史でも、天然痘と奈良の大仏のつながりが出てくる。まさに目からウロコの話だよね。確かに日本史の教科書に書いてあるんだけれど、用語としてだけ覚えるのと、自分たちの生活に引き寄せて考えるのとでは大違い。

増田　それから、すでにYouTube学園の動画を見てくださっている方たちは、増田が食べ物をテーマに話をすることが多い、ということに気づいているかと思います。私自身、食べるのが好き、ということもありますが、食文化から歴史をひもとく、というのはとてもわかりやすいんですよ。

たとえば世界史でいわゆる四大文明を学ぶときに（注：現在は教科書に四大文明という表記はない。研究が進み、世界各地の文明が解き明かされてきたため）、旅行代理店の企画開発部員になったという前提で、自分たちが興味関心のある文明発祥の地を選んでツアーを企画してプレゼンする、というグループ学習をさせたことがありました。メソポタミア文明という用語は試験のために暗記したかもしれませんが、そのときはイラク戦争があったばかりだったので、実際に旅行に行くことはできない状況でした。そうした現状も調べた上で、実はこんな世界遺産があるんだとか、パンやビールはメソポタミア文明が発祥とされているとか、当時はこんなふうに麦を発酵させたんだとか、そんなふうに話を展開してくれたグループがありました。プレゼンの方法は自由ですから、「3分クッキング」のテーマ曲をかけて、当時のレシピの紹介までしていましたよ。

池上　なるほど、今でいうアクティブラーニングだよね。オレが高校時代の世界史の授業は、なんと暗記することが多いんだろうと思っていた。先生の話を一方的に聞かされるだけだから、授業中は眠くなるばかり。自分たちで旅行の企画を立てながら、食べ物の歴史まで調べて発表する。しかも、自由にやっていいなら、授業中も楽しいよね、きっと。オレも増田先生の授業を受けていたら、世界史に対する印象が違っただろうな。

増田　それでも、基本的な能力も人並み以上で、子どもの頃から「池上くんに聞けば何でも知っている」と言われてきたんですよね。なにせ、優等生ですから（笑）、自分で要領よく勉強して、試験でも点数を取っていましたよね。

池上　トゲのある言い方だな、全く（苦笑）。

増田　私自身、初めて教壇に立ったとき、なぜ私が教えていることがわからないのか、ということがわかっていなかったんです。曲がりなりにも大学まで卒業して教員の資格を取った私なので、真の意味で〝できない〟子の気持ちが理解できていなかったんですよね。駆け出しの教員ですから、まずは自分が教わってきたように、学んできたように生徒に教えてしまう。表面的な薄っぺらな知識だけで「教えている気」になっていたんです。でも、そんなやり方では理解ができない子もいる。できない子は、自分自身何がわかっていないか、どうやって勉強をしたらいいか、ということすらわからない。もっと言ってしまうと、いくら真面目に勉強しても一定レベル以上の理解ができない、テストで点数が取れない子もいるんです。人はそれぞれ持って生まれた能力の違いがあるんだ、ということを最初につとめた学校で教えられました。

池上　なるほど。そう言われてみると、オレもそうかもしれない。増田さんには「優等生」と言われてしまうけれど（苦笑）、確かにオレもアタマでは何でも理解している、勉強ができないとかわからないとかいう子の気持ちもわかっているつもりでいたよ。でも、それ以上に踏み込んだところでの、理屈ではない理解が必要なんだね。教えながら、さまざまな壁にぶち当たる経験をしてみて初めてわかるような、難しいことなんだなー。

増田　もちろん、成績が悪くても「やればできる子」もいます。そういう子は、学ぶ意欲がなかったり、最初から自分は勉強ができないと決めつけていたり、と何かしらできない理由がある。誰だってテストでよい点が取れれば嬉しいし、勉強に対するモチベーションも上がってきます。そこまで行きついてもらうために、まずは授業を楽しいと思って聞いてもらえるところまでもっていかなければならないんです。

池上　そこで、餃子やコーヒーの歴史が出てくるわけだ！　でも、こうした「テーマをどう見せるか」、というアイディアはどこから来たのかな？

増田　これは、ＮＨＫで番組作りをしたおかげなんです。テレビではニュースにまつわる生活情報を扱い、ラジオでは街角から中継をしたり、教育問題をテーマに取材をしたりしていました。ビデオや録音テープの編集をし、台本も書いて生放送に臨んでいたんですよね。

ラジオで話す、ということは聞いているだけでその場面が想像でき、色や匂いまで感じることができるような話し方をしなければなりません。

池上　五感に訴える、ということだよね。

増田　そうです。一方のテレビは、映像の力が重要です。見て面白い！　と思えるようでなければならないし、どう見せたらわかるか、引き付けられるか、ということを考えた上で、効果的なコメントをつける必要があります。しかも、報道局のニューススタジオから出す生放送なので、何が起きるかわからない。予算も人手もない番組で、スタジオに何を準備してどう見せるかまで考えなければならなかったんですよね。さらに、自分が出演してリポートするときと、映像と台本を作ってキャスターに読んでもらうときとがあったので、誰が見てもわかるものにする必要がありました。

池上　面白くないと、キャスターのノリも悪くなるし。逆に出来がよければキャスターもノリノリで番組全体の雰囲気がよくなるもんな。

増田　キャスター経験のある池上さんなら、わかりますよね！　意外性があったり、いい意味で期待を裏切るような内容だったりすると、スタジオの雰囲気まで活気づきますよね。

ニュースや話題を深掘りしていくと、歴史との関わりが必ず出てくるし、歴史を知ることで現在起きていることへの理解が深まっていく。日々の仕事は「点」なのですが、数をこなしていくうちに、いつのまにかそれらがつながってくる。そうした経験が、学校の授業にも生きてくる。

池上　なるほど、相乗効果だね！　そうしたさまざまな経験から来るノウハウが、おのずとYouTube学園の動画に生かされているというわけだ。

増田　まさか、YouTubeに生かせるなんて思ってもみなかったですが。

池上　オレだって、まさか三角巾にエプロン姿で餃子の皮を包んだり、お菓子の家を作ったりすることになるなんて、夢にも思わなかったよ（笑）。

増田　池上さんには根気が足りないという意外な弱点（？）も知ることができましたしね（笑）。

池上　はいはい、どうせそうですよ（と拗《す》ねる）。

増田　なんだかんだ言いながら、楽しんでいるクセに（笑）。

わかりやすさを優先すると落とし穴がある

池上　オレも教えることが好きなので、こんな面白い話題がある、こんなことを知ってもらいたいと、けっこう前のめりになるところがあるんだけど、既存の枠では、取り上げるテーマや使える時間の長さという制約はどうしようもなかった。大学の授業は90分と長いように思うけど、実際はその時間の中で、『イスラム』とは何か」とか「中国現代史」とかをコンパクトにまとめて授業しなくてはならない。当然ある程度の基礎教養を前提とした内容にせざるをえないんだよね。

増田　時間が長いというだけで、見てもらえないと言われましたよね。YouTubeを始めるときに、一本の動画の長さは5分から15分ぐらいが一般的と言われましたが、テレビでの経験からもその程度だろうと思っていました。でも、いざ自分たちがやりたいように収録してみたら、とても15分には収まらないテーマが出てきてしまって。

池上　スタッフとの話し合いの中で、YouTubeだからこそ、長くても興味関心のある人には見てもらえるかもしれない、だったら試しに出してみよう、と決断したんだよね。そもそもYouTubeは自分たちのメディアなんだから、自分たちがやりたいと思ったようにやる。その考えを優先したんだよね。２人がしゃべっていて、疲れたら、そこまでにする、となっていったかな（笑）。

増田　「エルサレムってどんな所？　取材写真で深掘り解説」は、当初ロング版とショート版を作っていて、ロング版はなんと50分近くになっていました。

池上　「ＮＨＫスペシャル」と同じ長さって誰かが言ったよね（笑）。

増田　そんなに長々と私はしゃべっていたのね、と自分でも驚きましたが。エルサレム旧市街は、１キロ四方という狭いエリア。にもかかわらず、宗教、歴史、現代ニュースと切り口もたくさんありますし、そもそもどんなところで、そこにはどんな人たちがいるのかも伝えたかった。最初に見せてもらった動画はショート版で、とてもコンパクトにうまく編集されていました。ただ、時間の関係で採用されなかった部分でも、見せたいことがあって。どうしようかと思いあぐねていたら、スタッフからも泣く泣くカットしてる部分が多いんですと言われ、ロング版も見てほしいからと送られてきました。

池上 それを見て、オレは、ロング版全部をアップしても十分見てもらえると思う、と言ったんだよね。そうしたらスタッフから、「実は過去に出した尺の長い「スパイ」(41分)の動画のデータを確認したら、コレがけっこうみられていて、さらに視聴維持率も高かったんです。なので、今回も実験的にロング版そのままでいきましょう」と返事が来ました。

増田 今までで一番長い動画になったのですが、結果的にいつもと同じくらいに見られていて、長さがネックにはならないんだと実感しました。

池上 この回は、見てくれている人たちからの感想も熱かったね。日本から遠く離れた場所であっても、こうやって現場を見てきたジャーナリストの体験談は、興味深く見聞きしてもらえるんだなあ、と励まされたね。

増田 地味で地道な取材活動ですが、続けてきてよかった、みなさんにも見てもらえてよかったと思いました。嬉しかったですね。

取材してきたからこそ伝えられることがある

増田　ところで池上さんは、今まで何か国ぐらいに行ってますか。

池上　85の国と地域かな。「国と地域」という言い方が、どうもテレビ出演者っぽいけどね。この場合の「地域」とは、国際的に国家とは認められていないところを指す。香港やマカオなどだけどね。独立する前の東ティモールや南スーダンなども、まだ「地域」と呼ばれている間に取材に行った。今は国家になってるけど。

そうそう、先ほどエルサレムが出てきたけど、パレスチナは国家なのか地域なのか、という問題もあるね。パレスチナは国家として承認してほしいと世界に働きかけているけど、日本政府はまだ国家承認していないし。増田さんも、世界中さまざまなところに取材しているよね。

増田　私の場合、同じ国や地域に継続的に通って取材をすることも多いので、国の数はまだ40を超えたぐらいです。ヨーロッパやアメリカが多いですね。

池上　増田さんは写真もいっぱい撮ってますけど、テレビではごく一部しか紹介できないし、書籍だとほとんどがモノクロになる。その点、YouTubeなら制限なく見せたい写真を見せることができる。「エルサレム」の回のように一つひとつ写真を紹介するというのはテレビ的ではなくYouTube的だよね。

増田　池上さんは最初から、そんなふうにおっしゃっていましたよね。でも、私自身は、本当にこれでいいのか、こんな見せ方をされて、視聴者の人たちは興味が湧くのか、動画でなく静止画でも面白いのか、とはなはだ疑問でした。結果的に見てもらえたので、ホッとしましたが。

池上　最近の香港を紹介したときも、民主化デモの傷あとと魅力あふれる香港の姿の両方を、写真を見せながら解説したよね。テレビなら、学生や若者たちのデモ行進だったり、警官とのもみ合いだったりの映像が繰り返し流されるんだろうけれど。

増田　テレビと違うようにしようとは全く思っていないんです。ただ、私自身が現場を取材していますから、私なりの理解があるんですね。それを他の人に話すときには、頭の中に流れができていないと話せない。とはいえ、厳密に構成を立てて話すなんていうことはなくて、ざっくりと写真の順番と流れを決めて、相手の反応を見ながら話を進めていく。この場合の相手は池上さんですよね。池上さんの反応に応じて、こちらも話をしていく。台本がないので気が抜けませんよ（笑）。

池上　香港の話でいうと、その後、どんどん状況が悪くなっている。「なんでもあり」の魅力ある香港の自由が失われつつある。こういうときに、「今香港はこんな状態なんです」と紹介するのは、テレビでもよくやっているけど、われわれは香港の魅力を写真で紹介するという手法を取った。見てくれている人たちは、「この街の自由が失われるなんて許せない」と思ってくれるんじゃないかな、という期待を込めて紹介したね。

増田　期待が裏切られなくてよかった。難しい問題なだけにホッとしました。

第4章 テレビでは見せない？ 素顔の数々

池上彰もハマった「愛の不時着」

YouTube学園流「愛の不時着」

増田　2020年の流行語大賞候補にまでなった「愛の不時着」。YouTube学園でもテーマとして取り上げ、大変な人気コンテンツになりました。スタッフにも大人気で、ヒョンビンのファンクラブに入ったり、ドラマに出てくるチキンを買ってきて昼食にしたりするほどの熱の入れようでした。

でも実はこの動画を作るハードルの一つがなんと、池上さんに「愛の不時着」を見てもらうことだったんですよね。

池上　だって16話まであって、全部見るのに20時間以上かかるというからね。特に夜は執筆時間にあてているのでドラマを見ていたら締め切りが守れなくなっちゃう。恋愛ドラマにはいまひとつそそられなかったというのも正直あった。それだけで見る意欲が湧かなかったんだ。

増田　私もそうだったんです。編集者に「ぜひ見てください。YouTube学園で取り上げましょうよ」と言われたのですが、なかなか腰が上がらなかった。

ところが、打ち合わせで「愛の不時着」が話題になったら、なんとスタッフの男性陣まで会話にどんどん参加してきた。制作担当のプロデューサーが「僕も見ちゃいました」と言えば、ポプラ社のプロモーション部の男性も「SNSでも評判ですよ、こんなドラマです」と冒頭を見せてくれた。

池上　リ中隊長が地雷を踏むシーンが出てきたので、「北朝鮮の地雷は、雨が降ればあんなふうに流れて、どこにあるかわからなくなるんだ、中国製の地雷は金属探知機で発見されないように竹でできている」とか、停電のシーンで北朝鮮の電力事情について取材体験を交えてしゃべり始めたら、スタッフに受けて、池上解説による「愛の不時着」をやりましょうとなった。

動きだしたのは、増田さんが全編を見て興奮してからでしょ。

増田 そうなんです。2020年のアメリカ大統領選挙の仕事が一段落したあと、見るなら今しかない！ と思って見始めたら……あまりにリ中隊長がカッコよくて！ しかも、女性から見た男性としての理想を詰め込んだようなふるまいに、すっかりヤラれちゃったんです（笑）。

池上 突然、増田さんが、「リ中隊長が素敵！ 絶対見るべきだ」と猛烈にプレッシャーをかけてきた。しぶしぶ見始めたら、よくできたドラマだった。よく考えると、ありえないシチュエーションなんだけど、設定がしっかりしているから、ありそうな気がしてくる。

それに、見ていると韓国の国家情報院をはじめ、北朝鮮情勢を解説する材料になると思った。最後の「不時着」は出来すぎだけど（笑）。

増田 出来すぎでいいじゃないですか。ベタなストーリーだなと思う一方、ドラマで繰り広げられるシーンがすべて伏線になっていて、それが次々に解き明かされていくという展開なので、目が離せない。主人公の二人以外の俳優たちも、それぞれ個性的で印象に残る人ばかり。だからみんな韓国ドラマにハマる

「愛の不時着」の名場面を演じる池上と増田。動画のサムネイルより

のかと、妙に納得しました。で、池上さんは結局どこが一番印象に残ったんですか。

池上　北朝鮮の支配層内部での権力争いかな。リ中隊長が総政治局長の息子だとわかったとたん、周囲がハハーッとなるなんて、まるで水戸黄門みたいだし。

増田　それが一番⁉　本当は、焚き火のシーンとか、リ中隊長がユン・セリを命がけで救おうとするシーンだったりするんじゃないですか⁉（笑）まあ、池上さんもすっかりハマって、原稿そっちのけで全編をご覧になったわけで。

池上　バラすなよ、そこまで！（と恥ずかしがる池上）

増田　いいじゃないですか、それが事実なんだから！　かくしてスタッフ総意のもと、「『愛の不時着』から見る北朝鮮」プロジェクトがスタートしたのでした。

池上の気合いが入る

増田　ここからは怒濤《どとう》の進行でしたね。著作権の関係で写真や動画をそのまま使うことはできなかったので、名場面を紙芝居で見せることにしました。

池上　見終わってすぐに、いつも動画で使う紙芝居を作ってくれている植松に電話したら、彼はとうに見終わっていて、問わず語りに「不時着」について話し始める。あの彼が、後半は涙、涙だったっていうじゃないか。

増田　1回目の動画で、質問も募集しました。

列車の中に軍楽隊が来るのは本当？　招待所って、あんなに素晴らしい環境なの？　北朝鮮の人と韓国の人は結婚できるの？　などなど、それぞれに思い入れのある質問が書き込み欄にあふれてびっくり！

池上　植松からは、紙芝居をどう見せるか、舎宅村や朝鮮人民軍などをパノラマ的に展開してはどうかなど、彼なりの視点でアイディアが届いた。

その一方で彼のイチオシは人民班長を中心とした人間模様や南町（韓国を指す隠語）の化粧品が売られている市場。これも取り上げようと提案され、とても1回ではカバーできない。とうとう4回やりました。

増田から冷静な修正案が

池上　ここで熱量高いオレたちに増田さんからNGが出たんだよね。

増田　池上さんの構成案でもいいんですが、あまりに面白みがなくて（苦笑）。軍事境界線ってなあに？　総政治局長はどれだけ偉い？　国家安全保衛部（現・国家保衛省）はどれだけ怖い？　など、もっぱら池上さんの関心の赴くまま！　なので、少し、要素に偏りがあるように思いますって言ったんですよね。せっかくのラブストーリーなのに、池上さんに任せておいたら単なるニュース解説になってしまう！（笑）。

私は、物語の流れに沿って、より理解が深まるような解説を考えたんです。たとえば、不時着のあと、たどりついたリ中隊長の住む北朝鮮の村とは、どういうところか。中隊長の4人の部下はどんな人たちなのか。新人の青年が、しばらく実家に帰れないといった様子だったのはなぜ？　そのほか、北朝鮮の普通の人たちが韓国ドラマを見ることは可能なのか？　とか、ハマグリをガソリンで焼いて食べるのは、北朝鮮では当たり前なのかとか。

特に、舎宅村のおばちゃんたちの暮らしぶりや村のルールが私は気になっていたので、これは取り上げたいな、と思いました。ここは動画をご覧いただくとわかるように、とてもうまく展開できたと思います。

池上　人民班長や深夜の家宅捜索の解説もできるので、面白くなると思ったよね。人民班長というのは、日本の江戸時代の五人組制度と同じで、他の人々の暮らしぶりや政治性を監視し、密告する仕事をしている。この作品では人のよいおばちゃんに描かれているけど、実際は陰険な人たちが多いんだよね。盗聴屋も、もちろんいる。

南山のタワーが描かれた紙芝居。植松氏の工夫が動画を充実させる

増田　盛り上げてくれたのは、植松さんの紙芝居の力が大きかった。一枚の絵に情報を盛り込んでくれたので、解説がとてもやりやすくなりましたよね。

池上　植松は自分なりに「不時着」を楽しんでくれて、いろんな工夫をしてくれた。たとえば国家情報院のイラストには、南山《ナムサン》を象徴するタワーまで入れてくれたのには驚いたよ。ここには、かつてのＫＣＩＡ（韓国中央情報部）、現在の国家情報院の本部があって、通称が南山。独裁者の朴正煕《パクチョンヒ》大統領が設立した諜報機関で、当初は北朝鮮の情報を収集するのが主な仕事だったけど、次第に韓国内での反政府勢力や民主化運動の活動家の摘発に力を入れるようになった。要は朴政権に反対する人たちを弾圧する機関になったんだね。ここに連行された人たちは苛酷な拷問を受ける。拷問を受けて死んでしまう学生も出たほどだ。「南山」とは恐怖の代名詞になっていた。

増田　みんなでワイワイ言いながら作る楽しさがあふれた動画でした。

池上　植松画伯から提案された朝鮮グルメのトピックでは、オレが北朝鮮で食べた冷麺も取り上げたかったたな。冷麺はもともと朝鮮半島北部の料理。朝鮮戦争で北から多くの人が韓国に逃げてきて冷麺の店を開いた。以来韓国でも冷麺を食べるようになったんだ。

増田　リ中隊長がユン・セリに作ってあげた麺料理も美味しそうでした。

ドラマでは、リ中隊長や部下たちが韓国ソウルにやってきます。ソウルの店に入ったら、韓国の人たちがサッカーの「韓日戦」を見ていて、南北の人たちが団結して韓国を応援するシーンでは、複雑な気持ちになりましたね。

池上　そうか、反日という点で南北は一緒になれるのか、と思ったからね。

増田　単なる恋愛ドラマではなく、南北朝鮮の関係や、その背後にほの見える対日関係など、深みのある作品に仕上がっていて、人気が出るわけですね。

お金も時間もないけど知恵だけは絞ってみよう

池上　ここまで増田さんと植松の経験とアイディアで準備してきたんだけど、現場に到着したら、制作スタッフのこだわりもすごかった。

増田　サムネイルになったアロマキャンドルのシーンですよね。動画の冒頭の演出に凝りました。スタジオ代わりに使っているポプラ社のイベントスペースで、一つひとつ電気のスイッチを消していって真っ暗にし、「不時着」のワンシーンを再現した私たち二人の演技から始まりました。

池上　ここは「不時着」でも名シーンと言われる場面だから、リ中隊長のファンに怒られないかと心配だったんだけど。

増田　何を言っているんですか！　かなりその気になって、やる気満々だったクセに（笑）。アロマキャンドルもドラマで使用されたものと同じものを、以前私たちが仕事でお世話になった編集者が提供してくれたのでした！

池上　かくして「愛の不時着」は、さまざまな人たちの協力とわれわれの大根役者ぶりも手伝って⁉（笑）大変な数の人に見てもらえ、このチャンネルの認知度が一気に上がった、思い出深い動画になりました。

世界を動かす「食」の誘惑

池上、小学生以来60年ぶりの餃子作り

池上　「男子厨房に入らず」は死語だけど、ほとんど料理をやったことのないオレが、餃子やアイスクリーム、お菓子の家を作るとは思わなかったなあ。

増田　エプロンと三角巾、なかなか似合ってましたよ～。女性スタッフ、特に30代女子たちから「池上さん、カワイイ！　これなら何やっても許せちゃう♡」なんて言われてたじゃないですか（笑）。

池上　三角巾なんて、小学校のときに給食係で配膳をしたとき以来だよ。これまでテレビで、どれくらいこのテの仕事を断ってきたと思ってるんだい!?

増田　古稀《こき》を越えて初めての経験！　とか、カワイイ！　と言われたりとか、

池上さんだって楽しいクセに（笑）。

私は高校で歴史を教えていたとき、教科書に書いてあることをそのまま伝えるだけでは面白くない、といつも思っていました。一方で、リポーターやディレクターとしての仕事をＮＨＫで経験すると、生活情報を扱う番組を担当したときに、どんなものごとにでも歴史があって、それを深掘りするのが面白い！ということに気づいたんです。テレビですから、それをどう見せるか、ということを考えなければならない。予算も環境も限られた中で、という条件もありましたから、そこでかなり鍛えられたんですよね。

その経験から、YouTubeでこんなことができるんじゃないか、とあれこれ思いついた。その一つが、食べ物や料理をテーマにした実習授業でした。

最初に何をやろうか、と考えたときに、日本人のソウルフードともいえる餃子はどうか、と。池上さんに餃子を包んでもらったら、面白い動画になるんじゃないかと思ったんですね。

池上　オレは当初、食べる専門だと思ってたんだけどね。増田さんとスタッフに乗せられて約60年ぶりに餃子を包んだけど、ひだをうまく寄せられなくて……。すみません、本人が見ても美しくない（!?）出来でした（苦笑）。

増田　池上ファンには好評でしたよ！　池上さんにも不得意なものがあるんだ、新鮮でしたという意見もありましたよね。テレビで見ている非の打ちどころがない池上さんではない、素顔の池上さんが見られるのもYouTube学園の特権ですから。

池上　みなさんの温かい反応に勇気づけられて、その後もいろんなコスプレをすることになったんだけどね。ま、楽しんでもらえたら、恥を忍んだ甲斐があったものだ（笑）。

増田　餃子の話に戻りますと……餃子は中国が発祥だと言われています。けれども、小麦粉で作った皮でひき肉と野菜の餡《あん》を包み、蒸したり茹でたりという料理は世界各国にあるんですよ。モンゴルではボーズ、ブータンやネパールではモモと言われ、ジョージア（グルジア）ではヒンカリ、ロシアではペリメニ、ドイツではマウルタッシェンなんていうふうに呼ばれています。地図上でこの広がりを見ていくと、ちょうどシルクロードと重なるんですよね。

池上 ものの交易や伝播、人の移動とともに、食べ物も広がっていったということだよね。イスラムの勢力がアジアにまで及んでいた時期とか、モンゴル帝国が強大だった時期とか、当然だけどその時代の特徴が、食べ物や文化に大きく影響している。餃子一つとっても、使われている材料や食べられている地域を考えるだけで、歴史とのつながりが見えてくるよね。

増田 小麦は古くからある食材で、今でもパスタやパン、うどんなど、世界各地で食べられていますよね。それだけ身近なものでした。ただ餃子の具材は、中国では豚肉、中東では羊肉、ヨーロッパでは牛肉などと、その国の文化や宗教などと大いに関係しているんですよね。食べ物を深掘りして歴史を探る。夏休みの自由研究にもおすすめですよ。

食べ物から国と宗教を学ぶ

増田 海外取材で美味しいものに出合うと、よりその国に興味を持ちませんか。

無料でふるまわれるクスクスを、パリジェンヌと食べる（パリ18区シャトー・ルージュ）

池上　そうだよね。思いがけない食べ物に出合って、さらにそれが美味しければ感激するもんな。増田さんのイチオシの食べ物って何？

増田　私は、初めて行ったパリで食べたクスクス！　フランスといえば、ブランド品とおしゃれなパリジェンヌというイメージしか持っていなかったのですが……。パリに行くきっかけが、本で読んだ、クスクスを食べさせてくれるカフェの話。しかも無料だというので、「なぜ、タダで食べ物を提供してくれるのだろう？」という素朴な疑問から、足を運びました。

池上　クスクスといえば、モロッコなど北アフリカの食べ物だよね。カフェはどのあたりにあるの？

増田　パリ北部の18区、メトロのシャトー・ルージュ駅近くのカフェです。金曜夜8時を過ぎると、狭い店内は満席。客はワンショットの飲み物を頼んで時間が来るのを待ちます。飲み物は有料です。そして9時を過ぎる頃からクスクスがふるまわれます。クスクスは小さな粒状の食べ物で、世界最小のパスタとも言われているんですよね。お湯で戻したり蒸したりしていただくのですが、このクスクスに添えられているのが、牛すじ肉を煮込んだスープ。ジャガイモやニンジンなどの野菜が入っていて、味付けも塩味といたってシンプルです。このスープをクスクスにかけていただくのですが、その美味しいことったら！

池上　うまそうだな〜。で、無料の理由はわかったの？

増田　それが、お店の人に聞いても誰に聞いてもはっきりしたことはわからなかったんです。ただ、クスクスがふるまわれる金曜日は、イスラム教徒にとっての安息日。この地域はアフリカ系の移民の人たちが多く暮らしていて、生活が苦しい人も少なくないので、そうした人たちのために無料で提供されたのが始まりではないか、とのことでした。ただ、今では、おしゃれなパリジェンヌや、東欧などから来た移民の人たち、職業も公務員からフォトグラファーまで、年齢も性別も実に多彩な人たちが集まる場所になっていました。

池上　クスクスからそんなパリの横顔が見えるなんて、面白いね。

オレは、イランのニンニク入りのヨーグルトが思い出深いなあ。2005年、NHKを辞めて最初に取材に行ったのがイラン。アラブ諸国とイランは民族が異なり、宗教もスンニ派とシーア派の違いがあって対立しがちなんだけど、航空機は双方を結んでいるんだよね。イランに行ったのは、核開発問題がいずれ大きなニュースになると思ったからなんだ。ここで初めて食卓に出てきたんだよね。最初は食べ合わせに違和感があったんだけど、暑い気候の中で毎日食べてるうちにヤミツキになってしまった。細かく刻んだ、ニンニク、キュウリ、ホウレン草が入っていた。塩入りヨーグルトドリンクなんてものもあった。見た目はインド料理の飲み物のラッシーそっくり！　でも甘くないどころか、しょっぱいんだな。これも毎日飲んでいると、なかなかイケる。

それともう一つ忘れられない味は、これもイランのテヘランで食べたラムチョップだね。初めてのイランは単身だったけど、次の取材では国際協力機構（ＪＩＣＡ）のテヘラン駐在の人に案内してもらって入ったラムチョップ専門店が、本当に美味しかったな。食後にデザートを希望したら、「うちはラムチョップ専門店だ。他のものはない」と言われて追い立てられたけど。

増田　食べ物と宗教の関係も興味深いですよね。最近、日本でも見かけるようになった「ハラル」認証。ハラルとは、アラビア語で「許された」という意味で、イスラム教徒の人たちが食べてもいいとされている食材のことですよね。

池上　イスラム教徒は豚肉を食べてはいけないし、それ以外の肉でも、イスラムの教えにのっとった方法で処理したものでないとダメ。ちゃんと処理されたものには「ハラル」の認証がつけられている、ということなんだよね。他の宗教でも、肉に関する規定は意識する信者の人たちが多いよね。

増田　ユダヤ教では「コーシャ」が、イスラム教の「ハラル」にあたります。「清浄なもの」という意味で、ユダヤ教徒が食べていいとされている食材です。ユダヤ教の食べ物に関する規定は、聖書の中に書かれていますよね。

池上　たとえば、『旧約聖書』のレビ記には、食肉として許されるのは「反芻《はんすう》するもの」「蹄《ひづめ》がわかれているもの」という記述がある。豚は反芻をしないから食べてはいけないとされている。

また、食べ合わせの決まりもあって、「母ヤギの乳で仔《こ》ヤギを煮てはいけない」という記述がある。これは牛肉にも適用されて、牛肉と乳製品を一緒に食べてはいけない。ステーキを食べた後にアイスクリームを食べてはいけないし、チーズバーガーも食べてはいけないんだよね。だからユダヤ人が多いイスラエルのマクドナルドにチーズバーガーはない。

魚介類だと、ウロコとヒレのあるものは食べてよいがそれ以外はダメ。このためイカやタコだけではなくて、カニやウニも食べられない。甲殻類が好きなオレとしてはため息が出るね。

増田　食べ物に関する細かい規定を見ると、イスラム教とユダヤ教とでは全然違う料理を食べているようにも思えますが、そんなことはないんですよね。中東で食べられている料理を、一般的にアラブ料理と言ったりしていますが。

広く言えば地中海料理とも言えます。基本的に野菜をたっぷり使ったヘルシーなものが多く、ひよこ豆のペーストであるフムスや、トマト、キュウリ、キャベツなどのサラダといったフレッシュな料理のほかに、羊肉もよく使います。

ユダヤ人の家庭にお邪魔したときに、カリフラワーを丸ごと焼いたものが出てきて驚きました。ナスを使ったお料理も定番のようで、こちらもグリルで焼いてありました。素材の味を生かした味付けで、日本人の舌にも合います。

池上　イスラエルとパレスチナの対立は根深いけど、料理だけを見ると、とてもよく似ているんだよね。料理で和平を結ぶなんてことができないものか、とも思えてくる。

増田　そうなんです。先ほどお話ししたユダヤ人の方は、パレスチナの難民キャ

ユダヤ人とアラブ人が共同で経営するレストラン「カナン」の料理。ドイツのエッセンス（カイザーパン）も加えている（ベルリン）

ンプの支援もしているんですよ。私がお邪魔するというので、わざわざアラブ人とユダヤ人が一緒に作っているというアイスクリームを買ってきて、ご馳走してくださいました。

ドイツのベルリンでは、アラブ人とユダヤ人が一緒に運営している「カナン」というレストランも取材したんですよ。そのお店では、厨房でシリア難民の人たちが働いていました。

日本には「同じ釜の飯を食う」という言葉がありますが、食卓を囲んでいる間は争いが起きません。取材をしていると、食を通した人々の営みから平和の可能性を感じます。

池上 カナンといえば、『旧約聖書』でユダヤ人が神から与えられた約束の地のこと。やっぱり、食の文化はその国の歴史や宗教と切っても切り離せない。

増田 イスラム教とユダヤ教以外にも、ヒンドゥー教のインドでは牛を食べることが禁止されていますね。

池上 インドでビーフカレーはありえないもんな。

増田 海外に行くときには、その国の宗教のことを調べておくといいですよね。私は、イスラム教のラマダンのときにドバイに行ってしまい、日中は飲食店がほとんど開いていなかったんです。しかも夏だったので、外の気温は40度！観光客だからと、アバヤ（イスラム教徒の女性が着る衣装）を買いに行ったお店で冷たいお水を出してもらえましたが、そのお水の何と美味しかったこと！日が沈むまでは、水すら口にしない人たちもいるほどですからご注意を。

池上 ラマダンといえば、オレもラマダン期間中にカタールに取材に行って、ひどい目にあったことがある。カタールは、アラブ諸国の中では戒律が緩いけど、ラマダン期間中だけは厳しくなる。この期間は外国人も酒が飲めなくなる。そこで、一緒に取材に行ったスタッフが、成田空港でウイスキーを買って持っていこうとしたんだけど、免税店でカタール行きの航空券を見せたら、「ラマダン期間中はカタール行きの方にアルコールは売れません」と日本人の店員に言われてショックを受けていたな。

このときはカタールに本社があるニュース専門チャンネル「アルジャジーラ」本社を取材したんだが、アルジャジーラはアラビア語放送と英語放送がある。アラビア語放送を出しているビルのカフェテリアは日中閉鎖されているけど、英語放送を出しているビルで働いている人たちの多くはイスラム教徒ではないので、ラマダン期間中でも断食をしない。そこで、こちらのビルのカフェテリアはランチが食べられる。外から見えないように窓にカーテンをかけて、こっそりと食べていた。われわれも、ここでランチにありつけた。

夕方になってアラビア語放送を出しているニュースセンターでカメラを回し

ていたら、広報担当のアラブ人の女性が、ソファに座って動けなくなってしまったんだよね。空腹に耐えかねてのことだった。やはり断食はつらいようだね。

コーヒーは「オスマン帝国」からやってきた

増田　「食べ物」×「世界史」はシリーズ化していて、餃子以外にも、これまでアイスクリーム、コーヒー、紅茶、北欧のクリスマスに欠かせないお菓子の家作りを取り上げてきました。

池上　その都度、いろんな恰好をさせられ……、いや、してきたなあ。

増田　池上さんは、バリスタの恰好が似合ってましたよね。

池上　意外にイケるのに驚き。我ながら、気持ちが乗ったね。

増田　こんな喫茶店のマスターがいて、おいしいコーヒーを淹《い》れながらニュースを解説してくれるお店があったらいいなあ、なんてスタッフが盛り上がりましたよね。

池上　早く「カフェ YouTube 学園」をやってみたいなあ。

増田　ご縁もあって、コーヒーのメーカーUCCにお話を伺いに行きました。

池上　コーヒーが赤道地帯で多く栽培されていることから、そのあたりをコーヒーベルトともいうなんて、初めて知ったね。

増田　コーヒーから地理の勉強ができる、というわけですね。

ただこれが温暖化の影響で、だんだん標高の低い場所ではコーヒー豆を採取できなくなっているのですから、環境問題も深刻です。

池上　コーヒーの2050年問題なんて言われているよね。広く飲まれているエチオピアが原産のアラビカ種。その栽培地が、このままいくと半減してしまうというんだ。アフリカのモカや中南米のブルーマウンテン、ブラジルなど、有名なコーヒーの産地からだんだん美味しいコーヒー豆が採れなくなっていくなんて心が痛いよね。コーヒーの産地の話から地球温暖化の問題を取り上げることもできるんだね。

環境問題だけじゃなくて、コーヒー栽培者の労働環境を改善するために、品質に合った対価を支払うフェアトレードの考え方も広がっているよね。コーヒーの話をすると、環境問題や途上国の労働環境の問題を無視できない。

増田　UCCでは稀少な種類の豆のコーヒーもご馳走になりましたね。

池上　後から聞いたら、小さな紙コップ1杯分で2000円以上するゲイシャ種もあったというから驚いた。一度パナマで飲んだことがあったけど、そんなに稀少なものだとは。「違いがわかる男」にはなれていませんでした。ゲイシャというから「芸者」から来ているかと思ったら、違うんだね。アラビカ種の一種で、もともとエチオピアのゲシャという地域に自生していたことからゲシャ種と呼ばれていたのが、やがてゲイシャ種として知られるようになったそうだね。エチオピア原産だけど、パナマでも栽培されていて、オレはそれを飲んだんだ。

それにしても、スターバックスやタリーズなど、さまざまなコーヒーチェーンがあるけど、日本はいたるところで美味しいコーヒーが飲めるよね。

増田　私は先日、初めてブルーボトルコーヒーに行ってみたんですけど、コーヒーと焼きたてのワッフルに感動しました！

なんでブルーボトルなんだろう、と疑問に思って調べてみたら、ここでも歴史とつながりました。

17世紀のウィーン包囲です。覚えていますか？　オスマン帝国がオーストリアのウィーンに進軍した際に、オーストリア軍はなんとかオスマン帝国軍を撃退したんです。その際、オスマン帝国軍が残していったのが、黒い豆、つまりコーヒー豆だったんです。オーストリアでは、そこからコーヒーを飲むようになったんです。リラックス効果や覚醒作用があるコーヒーはオーストリアのカフェ文化の礎を作りました。

ここでやっとつながるわけですが、ウィーンで最初にできたカフェが青い瓶をトレードマークにしていたことから、「ブルーボトルコーヒー」という店名がつけられたそうなんですよ。

池上　なるほど！　ここにも歴史のウンチクが。

ヨーロッパのカフェに欠かせないクロワッサンも、ヨーロッパの脅威だったオスマン帝国を成敗したという意味を込めて、トルコの国旗の三日月の形を模したという説もあるんだよね。イスラム圏のホテルの朝食にクロワッサンが出てくると、「おい、おい、イスラムをやっつけたとして生まれたパンなのに、ここで出していいのか」と内心でツッコミを入れて食べているけど。

増田 ヨーロッパの各地にあるおしゃれなカフェが、実は現在のトルコにあたるオスマン帝国の脅威から生まれた、東西の文化の融合物だと知るとまた違って見えてきますよね。

池上 カフェっておしゃれで優雅なものというイメージがあるけど、それだけじゃないんだよね。

増田 それで言うと、カフェ文化は革命とも大いに関係しているんですよね。18世紀のフランス革命のときには、カフェにダントンやロベスピエールが集まって会合していたというのです。

イギリスでは、ピューリタン革命の有志がカフェの大きな長テーブルを囲み、上座も下座もなく座って自由闊達に議論したとも言われています。

池上 カフェは歴史を動かした人々の社交場だったんだね。

増田　そういうカフェが、ヨーロッパの各地にまだ残っているんですよね。

フランスを取材したときに、パリで一番古いカフェ「ル・プロコープ」を訪れました。17世紀に開業されたお店で、哲学者のルソーもよく来ていたとか。お店の近くに劇場があって、自身の描いた戯曲の観劇の後に立ち寄り、「今日のは面白くなかった」などと感想をもらしていったそうですよ。ほかにも、チェスで負けてしまってお金がないからと支払いのカタにナポレオンが置いていった帽子が入り口のショーケースの中に飾ってあったり、マリー・アントワネットが処刑直前に子どもたちに宛てて書いた手紙なども残されています。

池上　一方、トルコには西洋式のいわゆるドリップコーヒーとは全然違うトルココーヒーがあって、こちらは濃くて目が覚めるうまさが特徴だ。

コーヒー一杯には、いろんな物語があるんだよね。

トルココーヒーといえば、イランに初めて行ったときにホテルでコーヒーを頼んだら、「ターキッシュ、オア、ネスカフェ？」と聞かれてびっくり。トルココーヒーかネスカフェのインスタントコーヒーかの選択肢しかなかった。トルココーヒーは、粉にしたコーヒーを煮出して淹れるので、カップの底に粉が残るんだけど、これで占いができるんだよね。

増田　トルココーヒーのカップは手のひらサイズの小さなもの。コーヒーを飲みほしたあとに残った粉が何に見えるか、で占うんです。トルコでは、おばあちゃんが占ってくれるとか。今ではネットに占い方も出ていますよ。

編集の技が光る「お菓子の家」

増田　池上さん、これまで取り上げた「食べ物」×「世界史」の中では、何が一番印象に残っていますか？

池上　作って感動したのは、クリスマス時期に挑戦したフィンランドの冬の習慣であるお菓子の家作りだね。

増田　お揃いのサンタ帽にクリスマスカラーのエプロンといったコスプレ⁉でね。この動画をアップした後、みなさんが作ったお菓子の家もよかったら見せてください、と呼びかけて、視聴者の方から写真を送っていただきましたよね。

池上　コメント欄で視聴者の方の質問やリクエストに応えることはこれまでもあったけど、実際にオレたちが動画でお願いして、Twitter に写真を投稿してもらうというのは初めての試みだった。どれも素晴らしかった！

増田　材料もさまざまでかわいらしく仕上がっていて、中には『鬼滅《きめつ》の刃《やいば》』の小さなお人形が一緒に飾ってあるものまでありました。テーブルセッティングまで、凝っていましたよね。

池上　「ダリの芸風」だと言ってごまかしたオレより格段に上手だったよ。

増田　新型コロナによる自粛期間中だったこともあって、みなさんお家で楽しんでくださったようですね。

池上　お菓子の家を最初に知ったのはいつだったの？

増田　もう15年以上前に、私が取材で冬のフィンランドを訪れたときでした。ちょうどクリスマスの時期で、クリスマスのリースや飾りなどと一緒に、ジンジャークッキーで作ったお菓子の家のキットが売っていたんです。プラモデルみたいなイメージですね。お菓子の家なんて、子どもの頃に憧れたヘンゼルとグレーテルの物語の中だけの話だと思っていたのに。実際に作るんだ、作れるんだと思ったら、もう嬉しくって！　もちろんそのキットを買って、機内持ち込みにして大事に抱えて帰国しました。
その後、日本でフィンランドの教育についての講演会を行う際に、料理研究家の助手をしていた親友と一緒にお菓子の家作りを紹介したこともありました。そのうち日本でもキットが手に入るようになったので、最初はそれを使っていたのですが、これだと費用もかさむし、売っているお店も限られている。そこで親友のアイディアでスーパーやコンビニで手に入るお菓子で作る方法が生まれたというわけです。それがまさか、YouTube学園で披露する日が来るとは！
池上　サンタクロースの国であるフィンランドらしく、素朴でかわいらしい雰囲気だよね。この動画はクリスマスの特別企画としてアップしたんだけど、いつもと違って解説よりも二人の作業を見せる内容になっていて、編集スタッフの技がいたるところで発揮されているんだよね。
増田　撮影のために私が持参した北欧のクリスマスの人形を使って、アニメーションに仕立ててくれたんですよね。

池上　オレがギャグを飛ばすと、人形たちがツッコミを入れてくれるという「お菓子の家」にぴったりのかわいらしい趣向だったね。

増田　編集スタッフいわく、いつものお勉強テイストのものと全然違う回だということをわかってもらいたかったとのことです。

池上　肝心のお菓子の家！　出来上がりも立派だったらよかったんだけど、案の定、オレの家は傾いてしまった。残念。

増田　だから、ご自分でダリ風、なんて言ってごまかしたんですよね（笑）。

池上　こんな不器用なオレでもできるということで、みなさんに勇気を与えられたら幸いです。

増田　そんなこと言って、コメントで「池上さん、かわいい」なんて言ってもらって、まんざらでもなかったクセに。結局、池上さんがおいしいところを全部持っていくんですよね。それもまた、YouTube 学園の魅力なんだと、私は半ばあきらめていますけれどね（笑）。

池上・増田のアイディアを形にする紙芝居

植松 淳

池上・増田のレジュメを元に作成される紙芝居は、情報をわかりやすく、そして、動画をエンターテインメントとして見せてくれる立役者だ。制作にあたるジバ総合美術工房の植松氏に紙芝居作成の裏側を聞いた。

池上さんとは「週刊こどもニュース」からだから、もう20年以上のお付き合い。「学園」は撮影直前に依頼が来ることが多くて正直キツい（笑）。まず、原稿は熟読します。ただそのまま描くことは期待されていないと解釈して、視聴者目線で構成しなおします、僭越《せんえつ》ですが（笑）。「子どもが見てもわかる」という池上さんとの共通認識があるのでそこはツーカーで。

気をつけているのはその「見せ方」。解説者がぱっと紙芝居を抜くタイミング、まず何が見えるか、そういうことを意識しています。つまり、演出。これは、学生時代に商業デザインを学んだり、NHKの子ども向け番組や人形劇の現場にいたときからの習い性ですね。自分の作ったものを「どう見せるか」まで介入せざるをえない仕事というか。「学園」の紙芝居は、絵そのもので説明しなければならないので色使いも意識してます。たとえば「愛の不時着」回の扉絵。「こういう雰囲気で解説しますよ」と伝わりやすいように、2ショットの場面を暖かい色で描きました。「ツカミ」が大事

column

なのはテレビでも一緒なので印象重視で。そのためではないけれど、もちろんドラマも全部見ましたよ。

この番組は時としてニュース解説でもあるので、いきがかり上、情報の裏取り的なこともします。人前に出す絵には多少の責任が伴うと考えているので、いつも怖いですね。少し前にテレビで、BLM（Black Lives Matter）を取り上げたニュース番組内のイラストが無神経だと炎上しましたよね。あれは他所ですけど全く他人事じゃない。「演出」はしますが「嘘」じゃダメ。その辺の匙《さじ》加減がこちらに委ねられているから、どのネタも気が抜けない。「わかりやすく、かつ面白い（そして嘘じゃない）」というのは結構ハードル高いですよ。しかも「ちょっとどうなの？」という短期間でね（笑）。

地味に大変ですが、池上さん増田さんからの依頼を俺への挑戦とみなして打ち返し、「いいね、話しやすい。ありがとう」と言われたときの「よっしゃ！」がこれを続けていく原動力かもしれませんね、ときれいにまとめておきます。

第5章 YouTubeとメディアの未来

フェイクニュースとどう向き合うか

増田　２０１６年にトランプ大統領が誕生してから、フェイクニュース（偽ニュース）という言葉をよく聞くようになりました。２０１６年にオックスフォード英語辞典がその年を象徴する言葉として「ポスト・トゥルース（Post truth 脱真実）」を選びました。朝日新聞によれば「真実や事実よりも個人の感情や信念が重視される政治文化の風潮を意味する」とのこと。

池上　大統領選挙にロシアが干渉してトランプ候補を勝たせるために民主党陣営をサイバー攻撃したという、通称「ロシア疑惑」がありました。偽の情報が流されて、一国の政治を動かすほどの影響を与えたのではないか、という驚きのニュースでした。

増田　実際、トランプ氏が大統領に選ばれました。大統領就任後もトランプ大統領はTwitterを駆使して、支持者に直接訴えかけてきました。ＳＮＳの使い方がとてもうまかった。

補佐官が次々と首にされましたが、それもTwitterでの発表でした。

Twitter大統領とも呼ばれていました。
　大統領が記者会見を開かないで、Twitterで政権人事や重要政策について発表するなんてとんでもないことですが、なぜ認められてしまうのか、個人的には不可解でした。デジタル時代にそれを止めることは不可能だと言われてしまえばそれまでですが、世界中がＳＮＳに振り回されている恐怖を感じました。

池上　実際、Twitterや Facebookを止められたトランプは、自分のウェブサイトで発信を始めていて、２０２４年の大統領選挙に出馬するのではないかと言われている。

増田　一方で、オーストラリアでは２０２０年２月に、ニュースを提供しているメディアを守るために、Googleや Facebookなどのプラットフォームに対して、掲載料を支払わせる法案を可決しました。両者から抗議を受けていますが。欧州では、罰則を伴う個人情報を守る規則もあります。日本でも、この４月に法務省とGoogleがネット上の不適切な投稿の削除に向け、態勢を強化することを発表しています。

情報は二次元ではなく、三次元で見る

池上　動画の評価ボタンにはいいね（グッド）とバッドしかないけど、情報を見るときは単純な二元論で見てはいけない。三次元で立体的にものを見ることが重要です。いい面、悪い面、また立場を変えてものを考えてみることが大事です。

たとえば、安重根《アンジュングン》は日本では伊藤博文を暗殺したテロリストというイメージが強いですが、韓国では抗日運動の英雄です。このように立場を変えてみることで、より立体的に物事が見えてきます。

増田　どちらかの主張にだけ耳を傾けるというのではなく、賛成派や反対派、情報発信者ごとの立場の違いも見るべきです。私もテレビや新聞で報じられていることと、取材現場で得る情報が違うということに何度も直面しています。

２０１６年のアメリカ大統領選の取材では、トランプ氏の支持者はプアホワイトと言われる白人の貧しい労働者だと言われていたのが、ニューヨークでトランプ支持者の会合を取材したところ、彼らの一部はエスタブリッシュメント

と呼ばれる富裕層でした。世間の目を気にして表立っては支持を表明できないけど、企業や富裕層への大幅減税を行い、オバマケアを廃止することで彼らが儲かる仕組みを打ち出しているトランプ氏を支持していたのです。それを、「隠れトランプ」として取り上げました。

池上　日本のメディアはヒラリー氏優勢を報じていたけど、増田さんはずいぶん早くからトランプ氏が勝つのではないか、と言ってたね。

増田　先入観を排除して、丁寧に取材先にあたり、さまざまな立場の方の話に耳を傾けたということだと思います。現地ではトランプ氏の勢いを肌で感じましたから。

ネットを使えば誰でも学べる時代

池上　これまでは、テレビや新聞、雑誌といういわゆるオールド・マスメディアが機能していましたが、今は個人の時代です。何で情報を得るか、どの情報を信じるかということが個人個人で異なり、多様化しています。

ですから、特定のメディアの発信に対して、それが正しいか間違っているかということではなく、気に入らないという理由で批判する人もいます。いわゆるアンチです。それはある面では仕方のない現象です。

われわれのチャンネルの話になりますが、アンチと言われる人々にまでYouTube学園の動画を評価してくれとは言いませんが、価値ある情報を探している人に見つけてもらうにはどうしたらよいか、ということを考えています。

増田 それでいうと、アメリカの選挙から学ぶところがあります。アメリカでは戸別訪問といって支持者が一軒一軒回り、選挙の仕方や候補者の政策を説明するのが一般的なのですが、すでに支持政党や支持候補が決まっている人には時間を取らないのです。あくまで、誰に投票するか決めていない人を相手にするんです。

池上 なるほど、最初から投票先が決まっている人は説得するのに時間がかかるから、揺れている人を説得するんだ。効率的だね。

増田 私たちがYouTube学園でやっていることも、この戸別訪問と考え方は同じですよね。動画一本一本を通じて私たちの姿勢を示し、それに対する感想、意見、批判、疑問などの書き込みには真摯《しんし》に応えていく。その積み重ねによって信頼を積み上げていくしかないと思います。そうして私たちなりのコミュニティを築いていけたらいいですよね。

池上　そうだね。「2・6・2原理」という言葉がある。世の中の人は、何事に関しても2割が賛成し、2割が反対するという傾向があるという。残り6割の人がどう考えるかで世論が形成されていくという。私たちのYouTube学園でも6割の人たちに届くような内容のものを出していかないとね。

増田　YouTubeに代表されるように、ネットによって自由な発信ができるようになると、個人の思い込みによって、偏った内容や間違った内容が大量に世に送り出されてしまう危惧がありますよね。もちろん、発信している人に悪気があるわけではないのですが。

池上　既存のマスメディアが発信する情報は、社内に事実関係をチェックする校閲担当がいて、間違いを事前に修正しているよね。それと比較してしまうと、ネット社会はある意味、チェック機能が確立していない無法地帯ともいえる。にもかかわらず、ネットに出てくる「ニュース」や「主張」は、あたかもどれも正しいかのような勘違いが生じやすいよね。

そこで思い出すのは、NHK時代の企画会議でのこと。1980年代後半になって、仕事でワープロを使う人が増えてきたときのことだった。

増田　当時はパソコンのワープロソフトではなく、ワープロ専用機が普及し始め、それが画期的だったんですよね。

池上　それまでの番組企画会議での提案は、記者やディレクターがA4の紙1枚に手書きで書いたものを参加者に配っていたんだよね。そこにワープロで印刷された企画が配布されるようになると、参加者は、なぜかその提案が立派にオーソライズされたかのような印象を受けてしまう。子細に読むと、粗が判明するのだけれど、活字できれいに印刷されていると、採用していい内容に思えてしまった。

増田　今のネット社会でも、同じようなことが起きている、というのですね。

池上　その通り。ネットに出てくる文字情報は、活字できれいに書かれているから、信憑性があるように思えてしまう。ネット動画の「解説」を見ると、まるでテレビで識者が解説をしているかのような印象を受けてしまい、フェイクな情報だとしても真に受けてしまう人が出てくるのではないかな。

増田　よく言われていますが「ネットに出ている情報を取捨選択するにはどうしたらいいか？」と聞かれたら、どう答えますか？

池上　難しい質問だけど、まず、その情報の発信源を確かめること。既存のマスコミのことを「マスゴミ」と批判する人がいるけど、長い伝統を持つだけに事実関係のチェックがきちんと行われている。一方、刺激的な見出しの記事は疑ってかかった方がいい。視聴数を稼ぐのが目的である可能性が高い。たとえば「NHKが報じない真実！」という類だ。事実が確認できないから報じていないのだから。情報をきちんと取捨選択できる力を持った人たちのコミュニティが広がるように、私たちも努力しないとね。

［特別対談］

YouTube日本代表に聞いてみた

YouTube日本代表
仲條亮子
×
池上彰
×
増田ユリヤ

YouTubeの現状

仲條　YouTubeは、2005年にスタートし、2006年にグーグルが買収したサービスで、2021年に16周年になりました。今では世界で毎月20億人が、1日あたり10億時間以上、日本では、6500万人以上が視聴しています。

そのうち、1500万人以上がテレビでも視聴しています。スマホで見る人も多いのですが、テレビで家族とリビングで見る人も増えました。登録者が100万人以上の日本のチャンネルは、240以上あり、多くの人が利用するサービスになりました。

YouTubeでは、サービス開始以来、安心で安全な動画共有を実現するために、表現の自由、情報にアクセスする自由、機会を得る自由、参加する自由という4つの自由をミッションとして挙げています。

一方、有害なコンテンツからコミュニティを守るため、人間とテクノロジーの組み合わせによる審査を導入することで、違反コンテンツの削除などにも取り組んでいて、世界のグーグル全体で1万人以上の担当者を置いています。コロナウイルスに関連する動画のガイドラインについては外部の専門家であるWHO（世界保健機関）などと相談し、クリエーターの方と話す機会を持ちながら、現在のポリシーが十分か地域の特性も考慮しています。2020年10月から12月で、200万以上のチャンネル、930万以上の動画を削除しました。自動システムによる検索で9割以上が削除され、7割以上の動画が再生回数10

回以下で削除されています。

池上　YouTubeについては、情報発信の場所を提供するプラットフォームなのか、テレビのように自らが情報を発信するメディアなのかという議論が常にあります。いろんな情報が行き交うプラットフォームとして作ったつもりだったと思いますが、政治的なものも含め実にいろんな動画が出てきています。YouTubeとしては、どのように考えていますか。

仲條　表現する場所をあらゆる人に提供する、それこそがYouTubeの存在意義ではないかと思っています。たとえば、ピアノの演奏をシェアしてそこからアーティストになっていった人もいるように、今までにない「メディア」になっている例もあります。

池上　これまでのメディアとは違う、ということは、YouTubeはある種の「メディア」でもあるということでしょうか。

仲條　たとえば10代の方にメディアとは何を指すのかと聞くと、親世代とは違う答えが返ってくるでしょう。一番大事なのは何がメディアなのかではなく、表現する人をサポートすることができるかどうかです。多くの方たちに安心かつ安全に使っていただく場を用意するということです。
増田　YouTubeが当初と違う使われ方をしているのはどんな点ですか。
仲條　YouTubeで最初にアップされた動画は、動物園で象を紹介するものでした。現在のように、それぞれの自宅から遠隔で演奏するオーケストラの動画や、スーパーチャットでYouTuberを応援しようというような使われ方は想像もしていませんでした。

誹謗中傷への対応策とは

増田　自由に発信する人も、それを受け止める人もすごく増えたというのが2020年だったと思います。ただ動画が増えていく中で、YouTubeの削除の対象にはなりませんが、内容が間違っていたり、裏付けもなく話されていたりする動画まではチェックできませんよね。
たとえば、池上さんのテレビでの発言について、言葉尻をとらえて私たちのYouTubeチャンネルを攻撃してくる。そんな経験を私たちもしました。そのあたりの危機管理やコンテンツのあり方についてはどのように考えていますか。

仲條　私たちのコミュニティを守る取り組みのReduce（減らす）がそれにあたると思います。ボーダーラインというか、たとえば人によっては「これは正しい」と思っても、立ち位置によってはそれも変わってくるかもしれない。表現の自由は確保しながら、これは、誤った情報だと報告（フラグ）できるようなシステムになっています。

池上　誰の目にも触れないで削除されるというと、たぶんＡＩがアルゴリズムでやっているんだと思うんですよね。裸など猥褻《わいせつ》な画像があがればすぐＡＩが削除できる。だけど、フェイクニュースまたは陰謀論のようなものはどうやって判断するのか、これは難しい。あるいは広告の中には意見広告というか一応広告の形をなしているものの、「こういうことはテレビが報じない」「ＮＨＫが報じない真実を語る本があります」と、本の宣伝の形をしながら自分の主張を展開するものもあります。こういうものをそのまま出していいのか、そういう難しさがありますよね。

仲條　たとえば、コロナの問題ならファクトにもとづかないものは投稿を禁止する。とはいえその時点では何が正確な情報かわからない、時間軸で変わるものについてはガイドラインを逐一変更するという方針を取って、誤った情報が広がらないようにしています。

池上　ただ、私がテレビで発言したことについて、「こいつけしからん」という人が大挙してYouTube学園にやってきて、バッドのボタンを押してゆく。それがとてつもない数になっていくという嫌がらせを受けたんですね。こういうことってYouTubeの中ではよくあることなんでしょうか。

仲條　よくあることかといえば、そうではないと思います。そうしたことへの対応も含めて、どうしたら安心安全なプラットフォームでいられるか考えています。たとえば、like（グッド、いいね）、dislike（バッド）の数の両方を見えなくするのではなく、dislikeだけ見えなくするとか。どういう形が一番クリエーターを守っていけるのか、使いながら意見をもらい、改善するということをやってきた16年です。

池上　日経新聞電子版では、コメンテーターの投書記事について、likeボタンのみがあるんですね。こういうやり方もあるのかな。

仲條　このコンテンツが、いいよね、というときと、そうじゃないよねというとき、みなさんいろいろだと思います。その中でグッドだけを出してゆくというやり方も当然あると思いますし、逆にバッドを多くの人に押してもらって、コンテンツが適切じゃないと判断することもできる。なので、現状は両方ある方が指標になると考えています。

責任はコメントにもおよぶ

仲條　コメントについても責任を持ってもらわないといけないと考えています。コメント欄にも報告機能がついているのはそういうことなんです。たとえば、登録しているサポーターの人たちが、自由になんでも言っていいという場を目指しているわけではありません。それぞれの人に表現の自由、意見の自由はありますが、誹謗中傷になっていたらそれは別です。

増田　攻撃的な誹謗中傷が増えたとき、運営側でコメントを削除しながら、これは検閲行為にならないのかという議論になりました。それを検閲といってしまうと、本当に野放しになってしまう。ネットの社会だと、ひとこと悪口を書くと、動画の内容に全く関係がなくても、そこに悪口がわっと集まるということがあります。だから、内容に関係のない誹謗中傷の削除は検閲ではないと私は考えましたし、池上さんも同じ考えだったので、それを運営側に伝えて削除してもらいました。そのあたりの判断はどう思いますか。

仲條　検閲という言葉は私たちの中で使ったことはないのですが、どういうポリシーでどういうガイドラインでそのチャンネルを運営していくのかは、チャンネルのオーナーが考えていくことです。池上さんと増田さんが、このあたりまではＯＫ、これはＯＫじゃない、とやっていく。たとえば本来使ってはいけないような言葉を、そのコメントで使ったとしたらそれは削除する。それは検閲ではないと思います。

池上　YouTubeで登録者数が増えれば、広告収入が増える。そうすると、衝撃的な映像で見る人を増やそうという衝動にかられる人も出てきます。

仲條　いろんな形で新しいものが出てきてしまうということはあります。２０１９年にガイドラインをわかりやすくしました。そのポリシーをもとに３回違反警告を受け取ると、そのクリエーターはもうチャンネルを続けることはできません。１回の警告で、１週間は動画をアップできない。また、YouTube

パートナープログラムという運営者向けのガイドラインもあります。

池上　小・中学生が面白がり、大勢の人が見るYouTubeのチャンネルが少しずつ飽きられてきて、最近は傾向が違うとも言われていますが。

仲條　クリエーターさんの力は非常に強いと感じています。多様性のあるコンテンツがあがってきています。２０２０年１年間を振り返ってみると、学びのチャンネルがぐっと増えました。いじめで学校に行けなくなったお子さんのためにYouTubeを開設した方もいます。学びなどはYouTubeができたときには、考えられなかったテーマじゃないでしょうか。

YouTuberはあこがれの職業に

増田　YouTuberは子どもたちのあこがれの仕事にまでなっていますね。この前発表された、なりたい職業の1位が会社員で、2位に落ちたとニュースになるほど。子どもたちにそこまで支持されるのはなぜだと思いますか。

仲條　engagement、夢をしっかりつかんで、共感するところなんじゃないかなと思いますね。アイドルのことを隣のお姉さん、お兄さんのように親しみを持つのと似ていて、子どもたちにとってはYouTubeクリエーターの人たちがお兄さんでありお姉さんなんだと思います。

子どもにとって難しそうなこともわかりやすく説明してくれる、謎をといてくれているんですね。それができる人ってスーパーパワーを持っているように感じられるのではないでしょうか。

増田　ご自身のお子さんたちにYouTuberになりたいって言われたら？

仲條　まず第一に、責任を持ってやりなさいということを伝えます。それが犬のしつけチャンネルでもいいいし、自分が学んだことを伝えるなら、それは社会のためになると思います。ただご存じのようにYouTubeは13歳未満はアカウントを作成できないので、うちの子はまだできないのですが……。

YouTubeは、ふだん手に入らない知恵を教えてくれる。それが人類の価値になるんだと思います。

増田　社会のために貢献するということが、YouTubeの理想と考えているということですね。

池上　今後YouTubeはどんなふうに発展していくと考えますか？

仲條　海外につながるビジネス、アーティストが出てくるのはすごくいいことだと思うし、想像もしない使い方があるのではないでしょうか。多くの方に表現をする自由、学ぶ自由を提供する場である、そういうYouTubeであってほしいと思います。

仲條亮子

(なかじょう・あきこ)

YouTube 日本代表
グーグル合同会社 執行役員
早稲田大学政治経済学部政治学科卒業。米国シカゴ大学ブース ビジネス スクール MBA。米国ハーバード ビジネス スクール Advanced Management Program を修了。在京局で番組制作に携わった後、ブルームバーグ日本法人にて営業統括、在日副代表。2013年、グーグル入社後、テクノロジー業界等の広告営業統括、ビジョン・戦略策定をするAPAC Google Partner Plexを立ち上げる。YouTube日本代表として、クリエイターやメディアといったコンテンツパートナーによるコンテンツ戦略や運用を統括。2017年より現職。

「YouTube学園」への道

池上　増田さんと一緒に仕事をするようになって、30年以上経つよね。ここで二人のなれそめと長い付き合いを話しておこう。それを知ってもらえば、「なぜ、増田ユリヤは池上彰にあれだけ厳しく突っ込めるのか？　容赦ない質問ができるのか？」理解してもらえるんじゃないかな。

増田　私がＮＨＫで仕事を始めたのが、１９８９年4月。ときを同じくして、池上さんは首都圏ローカルの夜の番組「ニュースセンター８４５」のキャスターになったんですよね。そうすると、みるみるうちに〝ダジャレおじさん〟として有名になっていきました！　女性誌「ＣＲＥＡ」で〝8時57分の男〟と書かれたりして。ニュースのあとに一言受けるときに、ちょっと一言ダジャレを言ってから「天気予報です」と渡す。その時間が毎日8時57分だったんですよね。

池上　そんなこともあったねぇ〜。でも、当時それができたのは、「ニュースセンター845」という番組の編集責任者でもあったからなんだよね。何を扱うか自分でニュースを選んで決めることができるので、天気予報前にダジャレが言えるネタを取っておけるでしょ。

増田　ダジャレを基準にニュースを選んでいたんですか⁉　身もふたもない。

池上　いやいや、もちろんそればかりじゃないよ。視聴者にニュースを理解してもらうためにどう伝えたらいいか、という思いを表現する方法の一つ、と言えばいいかな。「ニュースをわかりやすく伝える」ということを本格的に考えるようになったのもこのときからなんだよね。

そんなときに出会ったのが、増田ユリヤという人でした。増田さんはなぜ高校の先生だったのにNHKに出るようになったのか、説明が必要だね。

増田　当時の私は、高校の非常勤講師になって、ようやく2年が経過しようというときでした。そもそも、その学校は、勉強が嫌いな子たち、当時は「落ちこぼれ」などと言われていましたが、それでも高校だけは卒業してほしいという親の願いから、しぶしぶ学校に来ていた子がいるようなところでした。大学新卒で始めた仕事でしたから、生徒との年齢差は5〜6歳しかない。教室に行っても、授業は聞かない、いじめもある。「ここで一生働くの?」という思いが強くて、週末になると新聞や雑誌の求人広告を見て、他にいい仕事はないか、と探すようになっていました。

池上　NHKの仕事に応募したのもその中の一つだったというわけ?　テレビに出るということについてはどう考えていたの?

増田　初めて自分からアクションを起こして、履歴書を書いて送ろうと思ったのが、「NHK横浜放送局アシスタント募集」という求人記事でした。当時住んでいた場所から近かったし、事務職かと思ったので応募する気になったんです。書類選考の後、一次面接に行くと、会場にはド派手に着飾った女性がたくさんいてビックリ!　場違いなところに来てしまったと思いながら面接に臨み、いきなりニュース原稿を読まされて。そこで初めて、テレビに出る仕事なのかもしれない、と気づいたというお粗末ぶり。

池上　テレビ朝日の「ニューステーション」の全盛期だもんね。

当時はニュースキャスターとして小宮悦子さんが大人気だったんですよ。

増田　女性ニュースキャスターという存在の注目度が急激に高まった頃ですからね。横浜放送局はローカル放送局なので、神奈川県在住が応募条件だったんです。住民票を移してまで応募してきた人もいたんですよ！　応募総数は、求人2人に対して650人を超えていたそうです。

池上　キャリアのステップアップとしても、NHK各局のアシスタントは人気だったね。地方の放送局から東京のNHK放送センターを目指すとか、民放のキャスターになるとか。

増田　私は最終選考で落ちたのですが、数日後、「学校の仕事を辞めなくていいから来てもらえないか」と。

池上　給料が安かったんだよね。

増田　いくら働いても、出演料しか出ないから月収3万6000円。最初に合格した方は、銀行を辞めようと思っていたのに、それではやっていけないと辞退したそうです。そこで、学校の仕事を続けながらNHKの仕事もできる私に、お鉢が回ってきたんです。でも、アナウンサー養成講座に行ったこともなければ、こんな仕事をしようと思っていたわけでもない。右も左もわからないことだらけで、どうしようもなかった。

池上　よく続いたねぇ。

増田　でしょう⁉　半月ほど経った頃、取材の仕事が始まったんです。自分でネタを探して、一人で取材に出かけ、インタビュー録音を自分で編集して、ラジオの生放送で10分ほどのリポートをする。「世の中にこんな楽しい仕事があるんだ！」と大興奮しました！　取材のおかげで、辞めずに続けられたんです。

池上　増田さんの初めてのテレビ出演が、オレがキャスター1年目だった「ニュースセンター845」だった。確か、その年の11月ぐらいだったよね。

増田　1989年11月15日です。リポーターの仕事を目指す女性は、テレビに出たいに決まっているというのが、一般的な認識でした。でも、私はラジオの仕事が楽しくて、そんなことは全く考えていなかったんです。そんな私の様子を見ていた報道カメラマンが、会議で「そろそろ、あの『マリア』とかいう子をテレビに出してやったらどうか」と提案してくださったんです。

池上　名前が間違っているけれど（笑）、気にかけてくれていたんだね。

増田　自分の仕事を見ていてくれる人がいると思うと、ありがたかったですね。

池上　それ以降、横浜放送局からのリポートで、ちょくちょくオレの番組に登場してくれるようになったけれど、初めて直接顔を合わせたのは、オレが翌年（90年）4月から夕方6時台の「イブニングネットワーク」のキャスターを兼務することになってからだったね。

ベテラン記者・池上が注目した増田キャスター

増田　当時の「イブニングネットワーク」は、キャスターが関東各地の放送局から番組を伝えるという企画をしていて、池上さんが横浜放送局に来られたときに初めてお会いしました。局内の食堂での打ち上げのときに「学校の先生もやっているんだってね」って声をかけられました。

池上　せっかく話をしようと思ったのに「はい」とひとこと返事をするだけで、サーッと逃げていったよな。「えっ、嫌われた⁉」と思ったぜ。

増田　キャスターなんて雲の上の方。そんな偉い方と何を話したらいいのと思ったんです。それに、当時の池上さんの目つきが、あまりに鋭くて怖くて。

池上　もともと警視庁の殺し担当の記者だったのが大きいのだと思う。その後に「週刊こどもニュース」を11年間担当して柔和な目になったみたいだけど。

増田　横浜放送局時代は、その程度の接点でした。その頃には、自分の提案が通れば、自由に取材をして番組を作って出すことができるようになっていました。当時は外国人労働者が大きな社会問題になっていました。神奈川県には、インドシナ難民の定住促進センターがありましたし、フィリピンをはじめ、アジアから来た女性たちの働き方や、日本人男性との間に生まれた子どもなどをめぐる問題などが山積していました。そんな取材リポートをラジオでしているうちに、「モーニングワイド」という当時の朝の番組などにも出演して、テレビでもリポートや生中継などの仕事をするようになるんですが、一方で、仕事のプレッシャーや人間関係のストレスなど、さまざまなことが重くのしかかってきて、心身ともに不調に陥ってしまった。当時、母親を亡くしたばかりでしたし、学校の仕事も続けていましたから、とにかくつらかった。そんな事情から、丸３年のタイミングで辞める決断をしたんです。

辞める直前に、池上さんが横浜放送局から出演することがあって、久しぶりにご挨拶したら、いきなり「なんで辞めるんだ？」と言われて。私にしたら「なんで、池上さんがそんなことを知っているの⁉」とビックリしました。

池上 各放送局のリポートは全部チェックしていたよ。増田さんの仕事はよいものが多かったし、印象も強かった。それなのになぜ辞めるのかと思ったから。

増田 ありがとうございます。何だか恥ずかしいですね（笑）。でも、一度リセットしなくてはと思い、学校の仕事も減らし、心身を休め、ゆっくり過ごす時間を持ちました。半年ぐらい経つと体調が回復してきて、そうすると気力も湧いてくるんです。やっぱり私は取材をしたい、という気持ちが強くなったんです。

池上 オーディションを受けたんだよね。

増田 東京のNHKでお世話になった方に連絡をしてみたら、東京のラジオのオーディションがあるから来てみたら、と誘ってくださったんです。ラジオの仕事が好きで、またやってみたい、とオーディションに臨みました。肩の力が抜けているので、こういうときってうまくいくんですね。晴れてラジオの仕事ができる！　ということになったのですが、数日後に電話が来て、「テレビの方で人が足らないというから、ユリヤちゃんにはテレビに行ってもらうことにしたよ。君はテレビにも向いているから」と。状況が把握できないうちに、報道局首都圏部（当時）の生活情報の番組で、ディレクター業務を兼ねたリポーターの仕事をすることになったんです。93年のことでした。初めて番組の居室に挨拶に行くと、そこに、また池上さんがいらっしゃるではありませんか！

池上　「また」とは、ずいぶんな。当時はまだ「イブニング～」のキャスターやってたんだから、そりゃいるよ。

増田　夕方の番組担当なのに朝から来て新聞読んでるし、寝ぐせがとれず、いつもブルーのワイシャツの裾がウエストからはみ出ていました。気軽に話しかけるなんて雰囲気ではありませんでした。でも私の番組のキャスターと池上さんが親しかったので、いつも顔を出してくださって、ニュースのあれこれを教えてくださいました。

池上　オレの教えたがりは、ある意味「ビョーキ」だからね（笑）。

増田　ずいぶん、役に立つ「ビョーキ」ですね（笑）。テレビでは、企画から、取材、ロケ、編集、台本作り、そして出演まで、すべて自分でやりました。

池上　パターン、民放で言えばフリップや、テロップの発注なども全部だから、そりゃ、鍛えられるよね。

増田　制作のことなら、何でもできるようになりました。２年目からは、念願のラジオの仕事が舞い込み、毎週、都内各地から生中継をする仕事も始まりました。非常勤講師も続けていましたから、90年代は全力で走り続けた感じです。

池上　オレの方は、94年４月から「週刊こどもニュース」の〝お父さん〟役をやることになり、新しい次元での悪戦苦闘の日々になっていったんだよね。でも、増田さんの仕事もチェックしていて、オレなりに仕事ぶりを理解していたつもりだった。

活躍の場を変える

増田　でも、結局、６年ほどでまた〝辞め〟ました。寝る間もない日々でも、仕事は全力でやりたい。しかも、新しいことに挑戦していきたい、という欲ばりな気持ちもありました。テレビでは、阪神・淡路大震災後の防災についてや、タブー視されがちな性教育についてのリポートを出しました。

池上　性教育はチャレンジだったよな。

増田　放送が終わったとたん、池上さんが来てくださって「よかったぞ！」とほめてくださったんですよね。難しいテーマということもありましたが、いくらVTRを見せても、番組の責任者がOKを出してくれない。それが三日三晩続いた末でのオンエアだったので、池上さんのひとことが本当に嬉しかった。でも、その後も同じようなことの繰り返しで、もうこれ以上、やりたいことはできないなと。時を同じくして、ラジオで積み重ねてきた不登校の子どもたちのリポートを本にしませんか、という話をいただいたので、よし、今が辞めるタイミングだ、と決意したんです。そしたら、またですよ！「辞めるんだってね」と、池上さんから電話がかかってきて。「なんで知っているの？」と。

池上　警視庁担当だった記者の取材力を舐めちゃいけないよ（笑）。そりゃあ、オレからすればまた突然だったし、なぜ辞めてしまうのかと思ったからね。

増田　NHK近くのレストランに呼び出されて、チクチク言われました（苦笑）。でも、最後に「実は本を出すことになって……」と話し始めたとたん、「なんで早くそれを言わないんだ」とまた怒られて。それまでの不機嫌な顔が一変して「本を書くのって楽しいよな」となんだか嬉しそうな様子。拍子抜けしましたよ。

池上　目的がはっきりしてたし、何より前向きに思えたからね。その頃、自分も活字の仕事をしていて、書きたいという思いが強くなってきていた頃だったから、羨ましく思ったのもあるかもしれない。「それなら、仕方ない。頑張って」となるよね。

増田　本が出来上がったらお送りする、という約束をしたんですよね。それが、『「新」学校百景　フリースクール探訪記』（オクムラ書店）という初めての著作です。レギュラーを辞めた後も、NHKラジオの特番だけは引き受けました。その取材が、「総合的な学習の時間」に関する書籍にもなりました。神奈川県秦野《はだの》市の小学校では、4年生が2頭の仔羊を学校で飼育する、というテーマで、私も子どもたちと一緒に夢中になって、1年間取材に通いつめました。

池上　取材力についてはわかっていたつもりだったけど、こうした著作を読んで、「文章も書ける人じゃないか！」と、増田さんについての認識を新たにしたんだ。それで、子ども向けの「国際理解」についての本を一緒に書かないか、と誘ったというわけ。

増田　あれから20年！　早いものですね。

池上　長年の積み重ねがあったからこそ、YouTube 学園に継がったんだよね。

おわりに

今の時代、何かを判断したり、考えたりするときに、誰にも共通する一定の基準をもつことはできにくいのかもしれない。YouTube学園を始めてみて、改めてそのことを思い知らされました。カッコよく言えば「多様性の時代」。これほどまでにスマートフォンが普及し、ネット社会が肥大化していくと、情報の取り方も方法も人それぞれ。ライフスタイルに合わせて自分からアクセスすれば、いつだってどこにいたって、あふれるほどの情報の中から好きなものだけを選ぶことができるのですから。ちょっとググれば、一瞬にして答えが出てきますし、わざわざニュース番組やドラマの時間に合わせて帰宅し、テレビの前に座る「必然」もなくなってきています。

ただ、テレビ番組の制作・出演の経験もあり、YouTubeにも携わっている身として強く感じたのは、テレビの世界はやっぱり盤石なものがあり、

YouTubeに代表されるネット社会にはまだまだ不安定要素が山積しているということ。それは、事実確認の徹底にほかなりません。広告収入が減り、制作費が削られるばかりのテレビの制作現場では、人手も時間も足りない状況が慢性的に続いています。それでもオンエア直前まで、一つひとつの情報の事実確認や誤字脱字のチェックに注力し本番に臨む姿勢には責任が感じられます。一方、YouTubeをはじめネット社会は、好き勝手に発信できるし受け取れるというそのユルさが魅力でもありますが、責任感はいまひとつ。でも、好きなものばかり食べているだけでは栄養が偏り不健康ですよね。

バランス良く栄養（情報）をとり、健全な生活を営めるネット社会の構築。わがYouTube学園はその範となることを目指します！

まだまだ未熟ですが、今後ともどうぞよろしく！

2021年5月

増田ユリヤ

池上彰と増田ユリヤの
YouTube学園 制作

池上彰・増田ユリヤ

[制作]
Hybrid Factory
古田清悟・植田城維・藤野正義・仲川啓介・下田章仁・
川嶋紀貴・原田大誠・石田恵梨・小川諒・山本舞

[美術]
ジバ総合美術工房
植松淳・新保裕貴

[リサーチ、校正、校閲]
工藤浩紀

[制作協力]
笠原仁子

[撮影]
日高朋弘・中島大樹・上山隆司・徳久裕

[メイク]
公文啓敬・花井恵美子

ポプラ社
横田亮介・山科博司・玉造晶子・榎本里香／木村やえ

書籍 制作

[編集協力]
笠原仁子・工藤浩紀

[カバー、図版、コラム、対談ページデザイン]
フロッグキングスタジオ

[写真]
中西裕人

[校正]
麦秋アートセンター

池上彰《いけがみ・あきら》

1950年、長野県生まれ。慶應義塾大学卒業後、NHKに記者として入局。事件、事故、災害、消費者問題、教育問題等を取材。2005年に独立。海外を飛び回って取材・執筆を続けている。名城大学教授、東京工業大学特命教授。その他7つの大学で教える。著書に『伝える力』(PHPビジネス新書)、『おとなの教養−私たちはどこから来て、どこへ行くのか?』(NHK出版新書)など多数。増田ユリヤとの共著に『世界史で読み解く現代ニュース』シリーズ、『徹底解説!アメリカ』、『なぜ、世界は“右傾化”するのか?』、『ニュースがわかる高校世界史』、『感染症対人類の世界史』、『コロナ時代の経済危機』(すべて、ポプラ新書)などがある。

増田ユリヤ《ますだ・ゆりや》

神奈川県生まれ。國學院大學卒業。27年にわたり、高校で世界史・日本史・現代社会を教えながら、NHKラジオ・テレビのリポーターを務めた。日本テレビ「世界一受けたい授業」に歴史や地理の先生として出演のほか、現在コメンテーターとしてテレビ朝日系列「大下容子 ワイド!スクランブル」などで活躍。日本と世界のさまざまな問題の現場を幅広く取材・執筆している。著書に『新しい「教育格差」』(講談社現代新書)、『教育立国フィンランド流 教師の育て方』(岩波書店)、『揺れる移民大国フランス』(ポプラ新書)など。池上彰とテレビ朝日系列「大下容子 ワイド!スクランブル」のニュース解説コーナーを担当している。

YouTube: 池上彰と増田ユリヤのYouTube学園

ポプラ新書
211

メディアをつくる!
YouTubeやって考えた炎上騒動とネット時代の伝え方

2021年6月7日 第1刷発行

著者
池上彰+増田ユリヤ

発行者
千葉 均

編集
木村やえ

発行所
株式会社 ポプラ社
〒102-8519 東京都千代田区麹町 4-2-6
一般書ホームページ www.webasta.jp

ブックデザイン
鈴木成一デザイン室

印刷・製本
図書印刷株式会社

N.D.C.361/190P/18cm ISBN978-4-591-17043-4

P8201211

生きるとは共に未来を語ること 共に希望を語ること

昭和二十二年、ポプラ社は、戦後の荒廃した東京の焼け跡を目のあたりにし、次の世代の日本を創るべき子どもたちが、ポプラ（白楊）の樹のように、まっすぐにすくすくと成長することを願って、児童図書専門出版社として創業いたしました。

創業以来、すでに六十六年の歳月が経ち、何人たりとも予測できない不透明な世界が出現してしまいました。

この未曾有の混迷と閉塞感におおいつくされた日本の現状を鑑みるにつけ、私どもは出版人としていかなる国家像、いかなる日本人像、そしてグローバル化しボーダレス化した世界的状況の裡で、いかなる人類像を創造しなければならないかという、大命題に応えるべく、強靭な志をもち、共に未来を語り共に希望を語りあえる状況を創ることこそ、私どもに課せられた最大の使命だと考えます。

ポプラ社は創業の原点にもどり、人々がすこやかにすくすくと、生きる喜びを感じられる世界を実現させることに希いと祈りをこめて、ここにポプラ新書を創刊するものです。

未来への挑戦！

平成二十五年 九月吉日　　株式会社ポプラ社